AMÉNAGER
UN
PETIT JARDIN

AMÉNAGER
UN
PETIT
JARDIN

LANCE HATTATT

Illustrations de
ELAINE FRANKS

p

© 2001 Copyright pour l'édition originale
Parragon
Queen Street House
4 Queen Street
Bath BA1 1HE, Royaume-Uni

Conception, illustration et réalisation : Robert Ditchfield Publishers
Texte et illustrations © Parragon 2001
Photographies © Robert Ditchfield 2001
Les illustrations des pages 56 et 57 sont de Brenda Stephenson.

© 2003 Copyright pour l'édition française
PARRAGON

Réalisation : InTexte Édition, Toulouse
Traduction de l'anglais : Thomas Guidicelli

ISBN : 1-40540-079-X

Imprimé en Chine

Illustrations :

Page de faux titre : le petit jardin primé, présenté à la page 68.

Frontispice : le jardin de ville de Mirabel Osler, décrit page 62.

Ci-contre : la fontaine du jardin présenté page 116, dans le chapitre
« Un jardin en pots ».

CE LIVRE démontre qu'un petit espace peut aisément devenir un jardin idéal, véritable havre de tranquillité.

Les premières pages évoquent les éléments et styles les plus couramment employés dans les jardins de faible superficie. Plus loin sont décrits onze jardins - certains minuscules, d'autres plus étendus mais divisés en espaces indépendants. Ces descriptions illustrent avec clarté les styles abordés dans la première partie et seront sources d'inspiration pour ceux désireux de créer un nouveau jardin.

La dernière partie de l'ouvrage est consacrée aux plantations. La plupart des plantes décrites sont de petite taille, mais on trouvera également des plantes de dimensions plus imposantes dont il est possible de contenir la croissance par une taille régulière.

Catalogue des plantes - Symboles

La première dimension donnée correspond à la hauteur de la plante, la seconde à sa plus grande largeur. En outre, les symboles suivants sont utilisés :

   ○ = de préférence ou seulement au plein soleil
   ◑ = de préférence ou seulement à la mi-ombre
   ● = croissance possible à l'ombre
   P = persistant

En l'absence de symbole ou d'indication, la plante décrite est réputée tolérer le soleil ou la mi-ombre.

Nombre de plantes sont toxiques. Évitez absolument d'ingérer une partie d'une plante décrite, sauf si vous avez la certitude que celle-ci est comestible.

Sommaire

Ci-contre : vue du jardin de graviers
présenté page 92.

Aménager un petit jardin

Les jardiniers d'aujourd'hui sont de plus en plus nombreux à être contraints d'exercer leur passion dans un espace de modestes dimensions. Alors que les prix des terrains et des résidences ne cessent d'augmenter, il est devenu presque impossible, pour nombre d'entre nous, de faire l'acquisition d'un bien immobilier incluant un vaste jardin. Ce phénomène, en même temps que le délaissement de la campagne au profit de la ville, a conduit à une modification radicale des modes et des techniques en matière de jardinage et de paysagisme. En outre, avec la multiplication récente des activités de loisirs, il est difficile de trouver le temps et les moyens financiers pour l'entretien d'un jardin spacieux du style de ceux d'antan.

NOUVEAUX DÉFIS

L'aménagement d'un petit espace requiert une organisation sans faille, une imagination féconde et une grande souplesse d'esprit. Innovations et partis pris originaux sont nécessaires pour qu'un petit jardin conserve son intérêt toute l'année et en toutes saisons. L'esthétique joue bien sûr un rôle prépondérant, car il est important que plantes et matériaux utilisés soient non seulement appropriés sur le plan pratique, mais également bien intégrés dans leur environnement.

Un jardin de faibles dimensions offre moins de possibilités qu'un autre plus vaste, et il ne permet pas la culture de l'ensemble des plantes intéressantes. Il ne peut non plus s'accommoder de tous les styles d'aménagement : la voie la plus sûre est un concept simple que le jardinier pourra, pour son plus grand plaisir, travailler et retravailler jusqu'à être pleinement satisfait.

De manière tout à fait légitime, l'intimité est toujours une considération importante. Lorsqu'on souhaite que le jardin soit une extension à part entière de l'espace intérieur, un tel choix doit être pris en compte dès les premières étapes de la conception. De même, il est nécessaire de trouver un compromis entre esthétisme et fonctionnalité : plusieurs emplacements discrets devront être trouvés pour l'entreposage du compost, des outils de jardinage ou des contenants non utilisés.

Un jardin de faibles dimensions doit être polyvalent, et il doit être

Ici, l'espace disponible a été habilement exploité pour produire une succession
de couleurs qui durera jusqu'à l'automne. Vivaces et annuelles ont été mêlées afin
de prolonger la période d'intérêt.

Dans ce petit jardin de ville, une aire engazonnée, quelques bordures surélevées et un vieil arbre fruitier forment un décor de rêve pour un repas entre amis.

ouvert à tous les membres de la famille et non au seul jardinier. Un petit bac à sable sera souvent bienvenu pour les enfants en bas âge, tandis qu'un coin barbecue ou bien un espace ombragé où l'on pourra converser entre amis seront plutôt de nature à satisfaire les adultes. Bien souvent, il est impossible de contenter tous les membres de la maisonnée et des compromis sont nécessaires. Et ce n'est qu'à ce prix que le jardin se forge une identité propre et croît en harmonie avec son propriétaire ainsi qu'avec tous ses occupants.

ÉVALUATION DU SITE

Dans un espace de dimensions réduites, l'exposition et l'orientation sont primordiales. Parfois, les édifices ou les arbres des parcelles adjacentes interdisent tout ensoleillement ; à l'inverse, certains jardins sont entièrement ouverts et bien exposés aux rayons du soleil.

La qualité du sol est un autre facteur déterminant pour décider des plantes à cultiver. Les degrés d'alcalinité ou d'acidité sont mesurés par le pH : un sol est dit alcalin lorsque son pH est supérieur à 7, acide lorsque son pH est inférieur à 7, et neutre lorsque son pH est égal à cette valeur. Certaines plantes, parmi lesquelles les rhododendrons, *Pieris* et les bruyères à floraison estivale, ne poussent que sur un sol très acide. D'autres, telles que les pivoines et les iris à barbe, semblent préférer les sols calcaires. La plupart des jardineries proposent des kits d'évaluation permettant de connaître la qualité d'un sol rapidement et avec une grande précision. Quoi qu'il en soit, la grande majorité des plantes pourront pousser dans tous les sols pour peu qu'elles soient bien soignées.

Les petits jardins, clos ou non, génèrent leur propre microclimat. De ce fait, il est souvent possible d'y cultiver avec succès des plantes réputées non rustiques. Malgré tout, certains jardins, en raison de leur exposition, se transforment en véritable glacière l'hiver venu. Le vent froid, aussi dévastateur que peuvent l'être les plus sévères gelées, est un autre élément important à prendre en compte. Bien souvent, un espace étroit existant entre deux édifices sert d'exutoire aux vents hivernaux, qui dévastent alors tout ce qui se trouve sur leur passage. Dans un tel cas, il est souvent nécessaire d'installer un écran protecteur pour diminuer l'impact des rafales de vent.

Un passage étroit entre deux édifices se transforme souvent en couloir à vent.

TROUVER UN STYLE

Il est souvent plus difficile de prendre en main un jardin existant que d'aménager un espace pas encore végétalisé. N'ayez pas peur de vous débarrasser des plantes indésirables, ce qui aura pour effet de libérer de la place. La recherche d'un style personnel est souhaitable, car il a souvent pour effet de produire des images d'unité et d'harmonie. Au bout du compte, le style choisi est toujours une affaire de goût et de convenance : ce peut être celui d'un jardin à l'ancienne, mettant l'accent sur le mariage informel de fleurs, de fruits et de légumes, ou bien celui d'un jardin plus construit, axé essentiellement sur la disposition des murs et des haies, et où les plantes elles-mêmes n'ont que des rôles secondaires. L'essentiel est que le jardin terminé présente son propre caractère, distinctif et aisément identifiable.

L'échelle, c'est-à-dire le rapport de taille entre des éléments voisins, constitue sans doute l'aspect le plus difficile à maîtriser lors de l'aménagement d'un espace extérieur. Efforcez-vous de prendre en compte toutes les facettes d'une composition – éléments maçonnés, arbres, buissons, plantes vivaces – et de les considérer comme un tout à harmoniser plutôt chacun séparément.

Dans un jardin de faibles dimensions, les couleurs doivent être maniées avec la plus extrême prudence si l'on veut éviter une impression de désordre et d'anarchie. Pour obtenir les meilleurs résultats, il est souvent préférable de se limiter à des tons simples et contrastés, même si une telle décision requiert beaucoup de discipline. De fait, la forme

Médaille d'or du Chelsea Flower Show, ce jardin démontre qu'il est possible de cumuler les merveilles dans un tout petit espace.

Cette étroite plate-bande abrite des fleurs annuelles aux superbes couleurs.

et la texture des feuillages, de même que la distribution des senteurs, exigent presque autant d'attention que le traitement des couleurs.

PLANTATIONS

En matière de plantations dans un petit espace, il est préférable d'opter pour des plantes aux qualités éprouvées, capables de contribuer à l'intérêt visuel du jardin sur une période prolongée. Ainsi, on choisira un arbre non seulement pour son feuillage, mais également pour ses fleurs, son écorce attrayante ou ses belles couleurs d'automne. De même, on privilégiera les arbustes produisant des fleurs originales et des baies de fin

d'année. À feuilles caduques ou persistantes, ils constitueront autant d'hôtes pour de superbes plantes grimpantes, dont les clématites. Il existe également nombre de plantes vivaces qui développent un superbe feuillage et d'intéressantes et spectaculaires capsules.

Tirez parti de toutes les surfaces verticales en les transformant en supports pour plantes grimpantes, lesquelles pourront également profiter des fils de fer, cordelettes ou sommets de murs et de clôtures.

Il n'est pas indispensable de limiter les plantations aux espaces traditionnels. Quelques corbeilles surélevées permettront d'accommoder certaines catégories de plantes pour lesquelles la place viendrait autrement à manquer. C'est notamment le cas des plantes alpines et de celles qui nécessitent un drainage élaboré. Toutes sortes de contenants, classiques pots en terre cuite, jardinières ou paniers suspendus, peuvent être utilisés seuls ou en groupe pour des aménagements à la fois colorés et tout à fait attrayants. L'intérêt principal de cette façon de procéder est que les contenants utilisés peuvent être remisés, ou encore leur contenu replanté, lorsque la période d'intérêt des plantes s'achève. Ne négligez pas les murs extérieurs : en plus de constituer des supports idéaux pour les plantes grimpantes, ils peuvent être garnis de pots et de bacs suspendus pour donner un peu de couleur et briser leur monotonie.

Ceux qui témoignent d'un esprit d'aventure s'adonneront à la taille décorative de persistants. Ifs et buis sont les plus couramment employés pour les topiaires, mais houx, chèvrefeuilles buissonnants, lauriers du Portugal, lauriers communs et lierres, peuvent également être palissés et taillés avec succès.

Pour certains, jardiner dans un petit espace consistera simplement à disposer quelques pots sur une terrasse ou sur le rebord d'une fenêtre. Cela n'a aucune importance. De fait, les petits jardins les plus beaux sont ceux que l'on expose au cours des fêtes estivales dans les villages : constitués parfois d'un simple bac à semis rempli de terre végétale, et incluant pour la plupart des allées gravillonnées, des pelouses et de minuscules platesbandes plantées d'œillets miniatures et de thym aromatique, ils représentent l'archétype du jardin universel. En les observant, comme en observant tous les jardins qui nous entourent, on peut accéder à cette joie et à cette satisfaction qui constituent la récompense traditionnelle du jardinier.

Un petit jardin n'est pas forcément austère. Celui-ci mêle des plantes à riche feuillage qui donnent une impression de profusion.

Patios et aires pavées

Dans un petit jardin, une pelouse traditionnelle semble bien souvent incongrue et inadaptée. À l'inverse, dallages et pavements sont des éléments précieux, car ils permettent l'accès au jardin par tous les temps et en toutes saisons.

Dalles de carrière, pavés de grès, briques (à plat ou sur chant) et pavés autobloquants peuvent être utilisés pour des projets paysagés riches et attrayants. Et lorsque la pierre ou la brique sont trop onéreux, il est toujours possible d'employer des matériaux plus abordables, tels que des rondins de bois traités.

Quelques dalles de pierre posées à même le sol forment une allée sinueuse dans ce jardin-patio.

Dans ce coin de jardin, tonnelle peinte et treillage s'unissent pour capter les rayons du soleil.

Les couleurs ont été choisies avec soin lors de l'aménagement de cet espace à la fois minéral et végétal qui jouxte la maison. Alchémille, pensées et pavots y poussent comme bon leur semble.

Cette belle composition est le fruit d'un concept simple et résolument moderne réalisé avec audace.

Le contraste entre le dallage régulier et le gravier, au sein duquel quelques plantes sont autorisées à pousser, confère tout son charme à ce jardin de ville.

Cette chaise rustique est entourée
de pots contenant des lis à floraison
d'été. Ces bulbes sont excellents pour
ce type de culture. Il convient de
les arroser abondamment durant
la période de croissance.

Sièges et petits jardins

Le jardinage permet de se détendre et d'oublier le stress quotidien. C'est particulièrement vrai quand le jardin travaillé est petit et qu'il prolonge une des pièces de l'habitation pour former un espace de repos ou un coin repas.

Dans un petit jardin, un siège doit répondre à plusieurs usages. En plus d'être agréables à l'œil et bien intégrés dans leur environnement, chaises et fauteuils doivent être fonctionnels, robustes, durables et résistants aux intempéries.

Dès lors qu'on leur consacre un peu de temps, bois traité ou peint, métal, pierre et plastique sont des matériaux qui résistent bien au soleil et à la pluie.

Ce fauteuil est parfait pour se reposer, mais il sert également de point de mire dans la composition de ce petit jardin.

Une alcôve aménagée entre deux murs de pierre abrite un banc rustique. Les plantes buissonnantes accentuent l'impression d'être hors du temps.

Contenants

L'emploi de contenants est indispensable dans un jardin de dimensions modestes. On serait tenté de dire qu'il n'est rien qui ne puisse être cultivé en pot et, quelquefois, les résultats sont surprenants.

La culture en contenant nécessite un bon drainage. Il est impératif de ménager plusieurs trous pour l'évacuation de l'eau dans le fond d'un contenant conçu pour un autre usage. En disposant quelques tessons de poterie au-dessus de ces orifices, on évitera que la terre, le terreau ou le compost ne se trouvent complètement détrempés après quelques arrosages.

Quelques pots, et plusieurs bacs et jardinières disposés à diverses hauteurs, ont donné naissance à cette composition superbement colorée.

Ce joli traitement d'angle provient du jardin en pots présenté page 116.

Les *Hostas* sont excellents pour la culture en pots.

Cet ensemble printanier, composé de pensées et de tulipes jaunes, est mis en valeur par une élégante urne d'inspiration antique.

L'ingéniosité est reine dans le jardin en pots présenté page 116. Le toit des remises a été habilement utilisé pour supporter plusieurs vasques aux plantes richement colorées.

Durant les mois d'été, la grimpante *Solanum rantonnetii* est placée en lisière d'un emmarchement dans ce jardin gravillonné (*voir* page 92).

Un superbe agave en pot constitue le point de mire de ce jardin clos bien exposé au soleil.

Avec son tronc curieusement spiralé, ce laurier apporte une touche élégante dans un environnement dominé par la brique.

Plusieurs pieds de santoline cohabitent dans une grande jarre en grès vernissé. La jarre elle-même est superbe.

Cette jarre au joli décor et aux belles proportions ne dépare pas, loin s'en faut, le jardin qui l'accueille.

Mirabel Osler a fait de cette jarre de grès un objet purement décoratif dans son jardin de ville (*voir* page 62).

Symboles de l'été, les fraisiers en pots se plaisent
mieux dans un contenant spécifique tel que celui-ci.
Avant l'arrivée des fruits, on profitera du feuillage
et des fleurs aux vertus décoratives.

Rien ne peut être plus simple que ce large plat rempli de diverses variétés de joubarbe.

Cette ancienne auge de pierre a été aménagée en rocaille où s'épanouissent de petites succulentes. La couche superficielle est constituée de gravillon horticole.

Cette rocaille superbement composée a été aménagée dans une ancienne auge de pierre. Le phlox à la riche couleur cerise ne peut échapper au regard.

Certaines variétés naines de géranium tolèrent la culture en pots. Une couche superficielle de gravillon horticole permet d'améliorer le drainage.

Une barre métallique sert de butée protectrice pour un ensemble de pots. Assurez-vous toujours que les fixations sont bien solides.

Bien que très compacte, cette composition reste agréable à l'œil.

L'entrée de cette maison de ville est enjolivée par un ensemble de fleurs d'été.

Blanc, brun clair, mauve et vert pâle s'accordent à merveille dans ce bac de fenêtre aménagé avec goût et originalité.

Une autre composition habilement agencée : ici, la dissonance des rouges et des mauves est tempérée par le feuillage vert tendre.

Un bac de fenêtre dans sa version hivernale.

Les paniers suspendus permettent de multiples combinaisons de plantes et suffisent parfois à égayer les coins les moins favorisés du jardin. Souvenez-vous qu'ils nécessitent de l'eau en abondance.

Préparé avec soin, ce panier suspendu fleure bon le printemps.

Ici, la composition florale s'accorde bien avec le ton ocre de la brique.

Le fuchsia 'Miss California' donne des fleurs d'un rose très pâle.

Allées

Dans nombre de jardins, les allées forment l'essentiel des aménagements en dur. Les matériaux qui les constituent sont très variés : le choix dépendra de la fonction de l'allée, de sa situation et de sa fréquence d'usage. Briques et dalles de pierre, disposées selon divers motifs, sont élégantes mais onéreuses. Le gravier est d'un coût plus abordable, mais il doit être circonscrit par des bordures maçonnées. Galets et pavés de granit existent sous forme reconstituée et sont d'un bon rapport qualité-prix. Quant aux rondins de bois, ils conviennent parfaitement pour des aménagements plus informels.

Dans un petit espace tel que ce jardin clos, l'allée prend une importance considérable. Ici, elle est à la fois pratique et décorative.

Ici, plusieurs dalles de pierre sont disposées en travers d'une bordure. Les intervalles sont tapissés d'acaena.

Dans ce jardin d'herbes, l'emploi imaginatif de matériaux de récupération a donné naissance à une superbe allée.

La composition de ce jardin a été définie par le positionnement des allées et des emmarchements. Ces aménagements ont été construits avec le même matériau, ce qui confère à l'ensemble un caractère harmonieux.

Jardins étagés

Un emmarchement extérieur constitue toujours une invitation. Quelles que soient sa forme et sa longueur, il ouvre toujours vers un espace différent et une autre atmosphère. En grimpant les marches, on se sent une âme de conquérant ; en les descendant, on part à la découverte d'un territoire inconnu et mystérieux.

Dans certaines situations, quelques traverses de bois disposées en contremarches sur un terrain pentu vaudront tout autant qu'une volée de marches en pierre agrémentée d'un élégant parapet. Les escaliers droits en pierre induisent un caractère formel, tandis qu'une enfilade de marches étroite et sinueuse conviendra parfaitement pour un jardin moins élaboré.

Cette courte volée de marches conduisant du jardin à la terrasse a été aménagée à l'aide de dalles de construction de bonne qualité.

Cette large volée de marches est l'un des points d'intérêt du jardin de gravier présenté à la page 92. Les interstices ont été colonisés par de petites plantes.

Un emmarchement incurvé pour une véritable invitation à la descente.

Cet emmarchement en rondins de bois est à la fois simple et fonctionnel.

Plusieurs marches élégantes agrémentées d'une rampe en fer forgé marquent l'entrée de cette maison de ville. La partie mitoyenne est agréablement plantée.

Aménagements aquatiques

Qu'il s'agisse d'un minuscule ruisseau, d'un étang naturel ou d'un bassin de forme régulière, un élément aquatique enrichit toujours un espace paysagé. Intégrer un tel aménagement dans un vaste parc présente peu de difficultés. À l'inverse, les options sont beaucoup moins nombreuses dans un jardin de ville, car il est impératif de respecter l'échelle du lieu.

Aujourd'hui, chacun peut acheter des bassins et ruisseaux préformés, des pompes électriques pour fontaines et gargouilles et des liners de toutes sortes. Il est donc possible de trouver une solution pour les espaces les plus réduits. Entourée de quelques galets, une simple fontaine en pot fonctionnant à l'aide d'une pompe et d'un petit réservoir bien dissimulé égayera le jardin le plus modeste. Il est bon cependant de prendre conseil auprès d'un spécialiste.

Les bords de ce petit étang sont complètement masqués par des vivaces de rives plantées en abondance.

Le plus modeste des jardins mérite son point d'eau. Cette petite fontaine entourée de lierre appartient au jardin de ville présenté page 88.

Dans ce jardin urbain, un petit bassin carré est la pièce maîtresse d'une oasis de tranquillité. La dominante verte contribue à l'atmosphère paisible du lieu.

Les pierres brutes de ce bassin de rocaille ont été disposées de façon à suggérer une construction naturelle.

Cette construction aquatique en forme de haricot comprend une cascade et un petit ruisseau. La circulation de l'eau aide à conserver une surface claire. De larges dalles de pierre composent la bordure et se fondent dans la rocaille visible en arrière-plan.

Quand le printemps arrive, les rocailles reviennent à la vie. C'est en cette période de l'année que nombre de plantes alpines sont les plus belles. La composition de ce jardin de rocaille, qui inclut jets d'eau et petite cascade, est particulièrement réussie.

Plusieurs nénuphars trônent dans une vieille bassinoire métallique sauvée de la décharge.

Un étang circulaire s'inscrit parfaitement dans la terrasse supérieure du jardin présenté page 96.

Une famille de poissons rouges habite l'étang circulaire du jardin présenté à la page 78.

Gargouille et auge de pierre font ressortir le son harmonieux de l'eau qui ruisselle.

Par une chaude journée d'été, cet élément aquatique très original inspire la fraîcheur à lui seul. Une pompe immergée placée sous l'imposante meule permet le recyclage de l'eau.

Une fontaine en pot entourée de cailloux et de pierres savamment disposés constitue un apport plein de charme et de fraîcheur dans ce petit jardin urbain.

Parterres aux riches couleurs

Les couleurs florales ne sont jamais mieux mises en valeur que par l'exubérance de vastes parterres où jaunes, orange et rouges se disputent la primeur. Ce type de composition est réservée à ceux qui souhaitent égayer un coin de jardin un peu triste ou qui veulent garder en mémoire toute l'année les plus belles heures de l'été.

Le parterre n'est pas seulement réservé à l'été : les pensées à floraison d'hiver fleurissent sans arrêt durant les mois froids avant d'être remplacées, au printemps, par un savant mélange de bulbes et d'annuelles. De fait, il est possible d'obtenir un jardin très coloré durant la plus grande partie de l'année.

Erysimum asperum et tulipes écarlates sont les principaux composants de ce joli parterre de printemps.

Ici, un mélange de rosiers d'Inde, de sauges et de verveines est limité par des cinéraires aux belles feuilles argentées.

Cette allée est bordée de parterres richement colorés. Des rubans de fleurs de sauge rouge sang serpentent parmi des pétunias de tons magenta, mauve pâle et rose. Deux conifères nains à croissance lente apporteront un peu de hauteur dans quelques années.

Bien que petit, ce jardin aux parterres bien dessinés est doté de caractère.

Rien n'est plus élégant qu'un massif de pétunias rassemblant des nuances et des tons voisins.

Un jardin de vivaces

Souvent par manque de temps, nombre de jardiniers ne souhaitent pas réaménager leur terrain deux ou trois fois par an, au gré du temps de vie des plantes annuelles, bisannuelles ou semi-rustiques. Pour ces passionnés, la meilleure solution est un jardin de plantes vivaces dont les effets seront variables selon les saisons mais offriront une constante d'une année sur l'autre.

Arbres, arbustes et herbacées vivaces entrent dans cette catégorie. Choisis avec soin, ils resteront intéressants toute l'année moyennant un entretien minimal, mais le travail du jardin devra être adapté au mode de vie de chacun.

Ce recoin du jardin secret présenté à la page 108 démontre que la plantation de plantes vivaces réduit beaucoup les tâches d'entretien. Plantés en un dense tapis, les bugles empêchent le développement des mauvaises herbes.

Des tons pourpres, argentés et vert tendre président à cette élégante composition de feuillages.

Cette petite bordure se compose d'herbacées vivaces aux superbes couleurs pour un effet des plus réussis.

Ici, la plus grande partie de l'espace a été utilisée pour la création de plusieurs parterres de faibles dimensions, tous occupés par des plantes vivaces. À l'automne, nombre de ces plantes devront être taillées presque à ras du sol.

Le jardin de campagne

Un jardin de campagne n'est jamais démodé. Dans le cœur de chaque jardinier, il y a le désir de s'adonner à sa passion dans un coin reculé, entouré d'arbres fruitiers, d'herbes baignées de soleil et de fleurs d'un autre temps. Il n'est donc pas surprenant que les jardins de campagne rencontrent autant de succès en ville et en banlieue qu'en milieu rural.

Le style campagnard n'est pas réservé aux jardins de grandes dimensions. Il est possible de créer cette profusion chaotique au sein des espaces paysagés même les plus modestes. Vivaces sélectionnées avec soin, arbustes aux senteurs agréables, plantes annuelles et pièce d'eau miniature suffiront, dans une composition habile, à transformer votre jardin en véritable havre de paix.

Ici, des digitales se mêlent à des *Knautia macedonica*. L'inflorescence sphérique de l'ail ornemental évoque l'euphorbe.

Ce mélange de fleurs et de fruits est bien dans la tradition du jardin de campagne.

Un rosier buisson et un *Diascia* en des tons lilas dominent une bordure constituée d'un tapis de *Viola cornuta* 'Alba'. Bien qu'élaborée, cette version du jardin de campagne demeure fidèle aux préceptes fondateurs du style.

Petits jardins de ville

Dans les grandes cités, la majorité des jardins privatifs, lorsqu'ils existent, sont de faibles dimensions. Il existe un principe de base pour l'aménagement de ces jardins urbains : plus l'espace est limité et plus l'idée directrice doit être simple, et l'on obtient souvent d'excellents résultats en privilégiant la qualité des plantes plutôt que leur quantité. Forme et texture importent au moins autant que la distribution des couleurs, laquelle est essentiellement saisonnière et difficile à maintenir. Dans une aire densément construite, le vert, symbole de la campagne, est une couleur essentielle.

Cet élégant jardin de ville a été conçu pour offrir de l'intérêt tout au long de l'année. Grâce à la présence de conifères, parmi lesquels chalefs, *Elaeagnus*, skimmias et aucubas, les vues demeurent attrayantes même au cœur de l'hiver.

Avec ces plantations de grimpantes et d'arbustes buissonnants persistants, cette cour a un charme simple et tranquille.

Une bordure de forme originale où se côtoient verts, blancs et quelques accents de bleu.

L'entrée de cette maison de ville est marquée par des plantes persistantes en des tons verts et argentés.

Un magnolia 'Leonard Messel' et un *Choisya* constituent les principales plantations de cet espace minéral.

Le jardin potager

Lorsque l'espace est de faibles dimensions, une des solutions d'aménagement consiste à établir un jardin potager en pots. Un nombre surprenant de légumes acceptent de pousser dans ces conditions. Les herbes aromatiques s'adaptent bien, elles aussi, à cette forme de culture, et certaines se contenteront d'un peu de lumière sur un appui de fenêtre.

Rien n'oblige a séparer légumes et herbes aromatiques des autres végétaux du jardin. Les plus attrayantes de ces plantes peuvent être installées parmi arbustes et annuelles. De fait, de nombreuses herbes aromatiques sont des éléments traditionnels de bordures mixtes. Ainsi, le haricot d'Espagne occupe bien peu de place lorsqu'il est tuteuré en partie arrière d'un parterre.

Avec un peu d'organisation, le plus petit des jardins potagers finira par devenir très productif.

Cette allée est joliment mise en valeur par un mélange de fleurs annuelles et d'herbes aromatiques. Pour que l'on y ait accès facilement, marjolaine, thym, sauge et menthe sont placés à proximité immédiate de la cuisine.

Cette bordure plantée de légumes est divisée en petits rectangles par d'étroites allées faites de briques. Chaque espace peut être travaillé sans compacter le sol alentour, et dans un tel environnement, la rotation des cultures devient aisée.

Dans ce potager décoratif, des haies de buis taillées avec grand soin emprisonnent légumes et herbes aromatiques. L'accès se fait par de minuscules allées de la largeur d'une dalle et chaque enclos renferme un grand nombre de variétés.

L'oignon est si fréquent dans les recettes culinaires qu'il semble logique d'en faire la culture. Ce parterre d'oignons abrite également *Viola labradorica*, pensée à reproduction spontanée.

Encore quelques journées de soleil, et les oignons ci-dessus seront prêts à être cueillis, puis séchés et stockés en lieu sûr.

Ce petit carré de laitue ne déparerait aucun espace paysagé. Cultivée à partir de graines, la laitue atteint sa maturité au bout de quelques semaines. Ici, plusieurs variétés ont été mêlées afin de préserver intérêt et diversité.

L'asperge est un luxe absolu. Les griffes d'asperge doivent être plantées au printemps, à un emplacement ensoleillé et dans un sol bien drainé et riche en humus. La récolte ne peut être effectuée qu'au bout de trois ans. Ici, les asperges ont été plantées en alternance avec des laitues afin d'optimiser l'occupation de l'espace.

La pomme de terre n'a pas besoin de beaucoup d'espace. Quelques tubercules plantés à l'arrière d'une bordure permettront d'obtenir une jolie récolte. Cette culture est même possible dans un vieux seau dont on percera le fond pour ménager des trous de drainage.

Carottes, petits pois, radis, épinards, oignons de printemps et maïs sont très faciles à cultiver, possèdent des vertus décoratives et ont besoin de peu d'espace. En outre, chacun de ces légumes a le mérite d'atteindre sa maturité en peu de temps, de sorte que l'espace cultivé est rapidement libéré.

Une façon originale de faire pousser des légumes ! Un grand pot bien drainé a été rempli de terre végétale, planté de courgettes et installé à l'intérieur d'un ancien fût de cheminée.

Rien de plus simple que de cultiver des tomates en pot. Un solide tuteur pour soutenir les rameaux, un emplacement ensoleillé et de l'eau en abondance seront suffisants pour obtenir de surprenantes récoltes.

Vous pouvez également les cultiver dans des sacs contenant la terre adaptée, en vente dans la plupart des jardineries.

Dans ce minuscule potager, une brouette a été convertie en contenant pour la culture de courgettes.

Ces haricots d'Espagne cultivés dans un élégant pot en terre cuite trouveraient leur place dans la plupart des espaces paysagés. Fleurs et gousses sont abondantes, alors même que la croissance racinaire est entravée.

Avant de placer un contenant sur une terre détrempée, assurez-vous que son poids n'est pas excessif.

Facile à cultiver, la menthe gingembre (*Mentha* x *gentilis*) est un ingrédient savoureux dans une salade assaisonnée d'huile d'olive, de vinaigre et de miel.

Un pot de grande taille, tel que celui-ci, peut être utilisé pour la culture d'herbes aromatiques choisies à la fois pour leur feuillage attrayant et pour leur contribution aux repas de la maisonnée.

Romarin, persil, ciboulette, origan, estragon, sarriette et sauge sont parfaits pour une telle composition.

La menthe de jardin, idéale pour la préparation de sauces à la menthe fraîche, accepte sans problèmes une culture en pot.

De façon étonnante, tous les éléments de ce jardin d'herbes exubérant sont cultivés en pot. L'ensemble occupe très peu d'espace.

L'un des aspects pratiques d'un tel aménagement est que chaque plante peut être facilement remplacée.

Une fois son fond percé de trous de drainage et recouvert d'une fine couche de tessons de poterie, cette vieille bassine a pu accueillir un charmant jardin d'herbes miniature.

Avec l'arrivée récente, dans les jardineries, de fruitiers nains, l'amateur même le plus modeste peut connaître le plaisir de cueillir des fruits mûrs directement sur l'arbre.

Lorsque l'espace est très limité, il est préférable de palisser les arbres fruitiers sur des murs, des clôtures ou des fils métalliques en leur donnant des formes en cordon ou en palmette.

Si le jardin à aménager n'offre de place que pour un seul arbre, il convient d'opter pour une variété autofertile.

PALISSAGE EN CORDON

Après la plantation d'un fuseau, réduire toutes les pousses latérales à trois yeux. La tige principale ne doit pas être taillée.

La taille d'été de cordons déjà établis doit être effectuée dès que les pousses commencent à développer des ramifications ligneuses.

Les pommiers nains répondent parfaitement aux contraintes liées à la culture d'arbres fruitiers dans un espace réduit. Plantez-les de préférence en bordure, par exemple le long d'une allée.

Réduire les pousses latérales à trois feuilles et les pousses secondaires à une feuille au-delà du groupe basal. Réduire la hauteur de la tige principale à 15 cm au-dessus du fil de fer supérieur.

PALISSAGE EN ESPALIER

1. Tailler le scion à 5 cm au-dessus du premier fil de fer.

2. En été, tuteurer la pousse principale à la verticale et deux pousses latérales à 45°. Raccourcir les autres pousses à trois feuilles.

Palissage en espalier. À la fin de l'été, réduire les pousses latérales à trois feuilles et les pousses secondaires à une feuille.

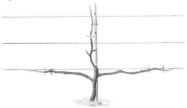

3. À la fin de l'automne, palisser les deux pousses latérales sur le premier fil de fer et tailler la pousse principale juste au-dessus du second fil de fer. Raccourcir les autres pousses à trois yeux.

4. Les étés suivants, tuteurer deux nouvelles pousses latérales à 45° et raccourcir les autres pousses latérales à trois feuilles. Tailler la pousse principale l'hiver venu.

Les groseilles à maquereau peuvent être cultivées autrement que sous forme arbustive. Dans cet aménagement original, les branches d'un groseillier ont été palissées sur des fils de fer fixés au mur de la maison. Ainsi exposées au soleil, les groseilles prospèrent.

Un groseillier à maquereau sert de point central dans ce petit jardin potager aux enclos délimités par des haies de buis.

La vigne est une plante très vigoureuse qui tend naturellement à s'étendre et à conquérir l'espace alentour. Taillée avec soin et palissée en cordon, en espalier ou sur une petite pergola, elle peut cependant être cultivée dans un jardin de faibles dimensions.

Planter des fraisiers dans une jarre permet aux fruits de pousser sans se salir de terre. Il faut la placer en plein soleil et maintenir la terre humide pour que les fruits mûrissent.

Les groseilles n'ont pas besoin d'être plantées dans un endroit particulier et s'épanouiront parfaitement dans des plates-bandes.

Jardins choisis

Les jardins présentés aux pages suivantes possèdent tous un caractère bien particulier. Certains nécessitent un entretien important, d'autres réclament relativement peu de soins. Certains sont très colorés, d'autres charment davantage par leurs formes et leurs textures.

Un jardin d'écrivain

Le jardin de ville de Mirabel Osler ne mesure que 21 m de long par 9 m de large, mais il possède un charme extraordinaire. Murs, allées, marches, topiaires originales, et sièges et conteneurs habilement disposés en constituent l'ossature, sur laquelle a été appliqué un riche schéma de plantations privilégiant les feuillages. La couleur, en dehors des multiples nuances de vert, est volontairement restreinte et contrôlée.

Partout, l'espace est utilisé de façon habile. Les limites du terrain ont été soigneusement dissimulées et les éléments fonctionnels, telle une petite remise à contenants, parfaitement intégrés. Un point d'eau discret et divers petits espaces clos, chacun doté d'une fonction précise, ajoutent encore au charme de l'ensemble.

Enfin, plusieurs miroirs habilement intégrés multiplient les jeux de lumière.

Une chaise solitaire capture les rayons du soleil et invite à un moment de repos et de réflexion. Il s'agit bien d'un jardin de ville, mais il appelle pourtant des sentiments d'intimité, de distanciation et d'harmonie avec la nature.

Derrière un pittoresque portique en bois, une allée de briques et de pierres, axe principal de la composition, conduit vers le fond du jardin, où une porte invite à poursuivre l'exploration. Cette porte ne s'ouvre pas, et elle symbolise à elle seule le goût du détail qui a présidé à cet aménagement. Notez également le superbe motif en losange de l'allée (le motif se poursuit sur toute l'allée).

Ce superbe coin repas, idéal pour les déjeuners d'été, est délimité par des buis taillés.
De façon originale, les saules marsault 'Kilmarnock' (*Salix caprea* 'Kilmarnock') ont été
taillés en demi-sphère. Plusieurs miroirs ont été placés derrière le banc afin d'accroître
l'impression d'espace.

Une bordure surélevée permet le drainage nécessaire à un ensemble de plantes
amoureuses de soleil, dont plusieurs hélianthèmes encouragés à couvrir
nonchalamment le muret de soutènement.

Une majestueuse amphore en ardoise sculptée constitue l'élément dominant du jardin de graviers. Là encore, un miroir augmente l'intérêt du lieu, tandis qu'un if fastigié sert de support à un rosier grimpant qui l'entoure de ses tiges et contribue ainsi à sa forme élégante.

Ce discret point d'eau est très pratique pour les arrosages d'été.

Idéal pour la collecte des chutes de taille et autres résidus, ce grand panier d'osier est encore plus décoratif placé devant un miroir.

Trois marches mènent à la porte qui clôt l'axe principal. Les deux urnes apportent une touche de symétrie.

Cet ensemble de pots appelant le soleil évoque les modes de vie méditerranéens.

Côté maison, l'attention se porte sur la collection de pots disposée à proximité de la porte d'entrée. Certaines plantes sont encouragées à empiéter sur l'allée.

Ce charmant pavillon d'été occupe un petit espace à proximité immédiate de l'allée principale. Positionné avec soin, il fait face au jardin de graviers, au sein duquel divers échos chromatiques ont été subtilement créés.

Dans ce jardin, la peinture tient une place importante. Ici, la façade du pavillon a été habillée en gris-bleu et ses détails soulignés de gris-vert. À l'intérieur, le banc-coffre d'un superbe bleu pastel permet le rangement de divers objets, et les panneaux de bois de même teinte sont mis en valeur par un fond brun-ocre.

De fait, un espace végétal n'est pas seulement un lieu où l'on jardine. Il peut être également, comme le prouve cet aménagement, un endroit de loisir et de repos.

Un jardin primé

Beaucoup d'habileté et d'ingéniosité ont permis la création de ce petit jardin suburbain richement coloré.

De façon surprenante, la grande majorité des plantes qui occupent cet espace sont cultivées par les propriétaires dans une modeste serre. Plus tard dans l'année, la serre elle-même deviendra le principal point d'attraction du lieu.

Au début du printemps, la serre se réveille. Les jeunes plants, soigneusement repiqués, commencent à prendre racine.

Jonquilles, narcisses et forsythias à fleurs jaunes forment l'essentiel des couleurs de printemps. Les cadres anti-gel sont déjà remplis de jeunes plants cultivés pour une floraison d'été, que l'on peut observer sur la page ci-contre.

Au début de l'été, le jardin change radicalement d'aspect. Bordures et plantes en pots commencent à bourgeonner.

À l'intérieur de la serre, les plantes ont poussé de façon spectaculaire.

Dans cette dense bordure d'herbacées vivaces, lupins, delphiniums, clématites, roses, lis et l'écarlate croix de Jérusalem (*Lychnis chalcedonica*) se disputent l'espace.

Au milieu de l'été, le jardin est un véritable festival de couleurs, et les plantes semblent se battre pour attirer l'attention. Tout le travail effectué en début d'année porte ses fruits de manière superbe et spectaculaire.

La serre est maintenant au bord de l'explosion.

Une disposition étagée sur trois niveaux permet de présenter avec succès un grand nombre de plantes.

À l'image de ces élégants fuchsias, nombre de plantes des compositions estivales ne supportent pas les basses températures hivernales. Il est indispensable de les placer dans une serre chauffée pour les protéger du gel et leur permettre de survivre.

Les fuchsias, qu'ils soient rustiques ou non rustiques, sont des composants essentiels pour les massifs d'été.

Les bégonias donnent de superbes couleurs tout au long de l'été.

Le mur du garage sert d'appui pour une bordure dense et étroite. Côté pelouse s'élève une rangée de pélargoniums roses et rouges, dont les jolies feuilles ajoutent encore à l'attrait visuel.

Autour de l'aire engazonnée, des tons rose pâle, blancs, mauves et violets sont privilégiés.

Trois pots suspendus habillent le mur de la maison de superbes couleurs.

Une large allée engazonnée court de la maison vers le mur du fond. Les murs de brique servent d'appui pour d'attrayants mélanges de plantes.

Un jardin de ville familial

Il n'est pas facile de créer un jardin organisé et bien entretenu qui soit à la fois accueillant pour les plus petits et agréable à l'œil pour les plus grands. C'est pourtant bien le résultat que l'on a obtenu ici, avec cet élégant petit jardin jouxtant une maison de ville.

Dans ce jardin de fleurs au charme indéniable, plusieurs bordures traditionnelles composées d'arbres, d'arbustes et d'herbacées vivaces côtoient une terrasse ensoleillée, un refuge ombragé et divers recoins où il est possible de s'asseoir.

Ce banc entouré de digitales constitue un espace agréable d'où l'on peut absorber les sons et les senteurs du jardin.

Aucun enfant ne pourrait résister au charme de cette cabane ! Desservie par une solide échelle, elle semble sortir tout droit des pages de Peter Pan.

Ce massif induit un sentiment de profusion : on y trouve toutes les plantes favorites des membres de la famille disposées dans un délicieux abandon. Delphiniums, lupins, ancolies et myosotis côtoient cistes, iris et roses pour un véritable style campagnard aux portes de la ville. De fait, les plantes sont libres de faire ce que bon leur semble, et le résultat ne manque pas d'allure.

Ce coin ombragé suggère une atmosphère bien différente. Ici, l'accent est mis sur les formes et les textures plutôt que sur les couleurs. L'ensemble évoque le calme et la tranquillité et semble offrir un moyen d'échapper aux ardents rayons solaires qui inondent les autres parties du jardin.

La terrasse de briques qui court le long de la maison bute sur un rideau de feuillages. Arbustes, herbes et fougères ont été disposés avec grand soin pour la création de cet agréable tapis de verdure.

De façon très pratique, ce coin repas ensoleillé et noyé dans la végétation se situe à proximité immédiate de la cuisine. D'élégants carreaux de faïence décorent agréablement l'un des murs de briques.

Un jardin de paysagiste

La paysagiste Jacquie Gordon a été amenée à travailler à la création d'un jardin privatif à l'intérieur d'un lotissement de construction récente. De façon compréhensible, une de ses priorités fut de créer une certaine intimité tout en maintenant l'ouverture de l'espace.

Professionnelle très prise par son travail, Jacquie dut prendre en considération le temps qu'elle pouvait consacrer à l'entretien de ce nouveau lieu : pour intégrer son rythme de vie effréné, le jardin devait être capable de se prendre en charge tout seul.

Le jardin avant travaux. Le mur est d'une grande laideur et il ne dissimule en rien le gênant vis-à-vis.

Ici, l'accent est mis sur les contrastes de formes et de textures. Un imposant phormion aux feuilles épineuses est contrebalancé par un érable au feuillage plumeux.

On a du mal à croire qu'il s'agit de la même parcelle de terrain. Les maisons voisines ont disparu, de même que le mur, dissimulé par un écran végétal. Quelques aménagements minéraux et plusieurs pots et contenants disposés de façon presque naturelle ont achevé la transformation.

Ces arbustes masquent une vue sans intérêt et apportent hauteur et profondeur dans la partie la plus lointaine du jardin.

Ce coin du jardin est égayé par un ensemble de plantes en pot aux riches couleurs.

Le coin repos n'a pas été oublié. Les coussins rouge cerise sur le banc bleu ardoise sont du plus bel effet. La chaise rose pâle ajoute encore à la richesse de la composition.

Depuis une des fenêtres de l'étage, on comprend la conception, la structure et le schéma de plantation de ce jardin fascinant.

Les formes circulaires des conteneurs, du minuscule plan d'eau et de la bordure principale contrastent avec les lignes droites ou brisées de l'écran de bambou, du dallage et du banc.

Les accents verticaux sont soulignés par les arbustes, par les vivaces à haute tige (dont de superbes euphorbes) et par le fût de cheminée qui a été reconverti en pittoresque porte-pot.

Le jardin d'un amoureux des plantes

Ici, un verdoyant jardin de province a été scindé en deux aires distinctes vouées à la culture de plantes rares. Les dimensions modestes de ces deux espaces n'ont pas empêché l'aménagement de bordures et massifs pourvus d'intérêt tout au long de l'année.

L'entretien d'un tel jardin demande du temps. Les bulbes de printemps sont ôtés dès la fin de leur floraison et remplacés par des plantes d'été. Les vivaces sont régulièrement divisées afin qu'elles demeurent en parfaite condition, et arbres et arbustes sont surveillés avec attention pour éviter toute croissance excessive susceptible de compromettre l'équilibre des massifs. Quant aux grimpantes, elles sont contenues et palissées selon les directives d'un schéma de plantations très strict. À tout cela, il faut ajouter élimination des fleurs fanées, tonte des pelouses, désherbage, fertilisation et arrosage.

Des teintes pastel de début d'été dominent cette bordure d'herbacées joliment structurée. En plus de permettre l'exposition d'un plus grand nombre de sujets, une plantation serrée limite le recours aux tuteurs.

Ces superbes delphiniums hybride 'Pacific' sont mis en valeur par le feuillage pourpre d'un prunus. Coupés à mi-tige après le flétrissement de l'épi floral, ils gratifient généralement d'une nouvelle floraison.

Deux bordures parallèles d'un volume imposant ont été aménagées dans cet espace pourtant réduit. Associées par le choix de plantes similaires mais non identiques, elles conduisent vers une accueillante tonnelle enveloppée par un chèvrefeuille *Lonicera* x *americana* et un rosier 'New Dawn', au délicieux parfum.

Une petite allée pavée établit un lien coloré entre les deux parties du jardin. De superbes marguerites blanches en pot, à la fois fraîches et estivales, unifient les deux bordures. Au premier plan, un géranium semi-rustique *Geranium malviflorum* empiète mollement sur les dalles.

Depuis le banc sous la tonnelle, on peut observer une composition symétrique en avant d'une imposante haie de troènes. Deux buis taillés en pot encadrent un petit parterre d'où s'élève un piédestal surmonté d'une petite jarre sphérique.

Plusieurs pieds de *Cirsium rivulare* 'Atropurpureum' entourent le piédestal. Plantée dans un endroit dégagé et ensoleillé, cette plante vivace donnera des fleurs pendant de nombreuses semaines.

Alors que l'on approche du jardin blanc, la pluie ajoute encore au caractère
mélancolique du lieu. Sur le portique de bois qui en marque l'entrée, les rosiers
'Albéric Barbier' et 'Alister Stella Gray' se disputent l'espace.

Une aire de gravier, au centre de laquelle trône un bain à oiseaux, encourage la reproduction spontanée et confère un caractère paisible à ce lieu pourtant formel.

L'une des principales réussites de ce jardin réside dans la façon dont sont traités les changements de lieu et d'atmosphère. Le passage d'un espace à un autre, ou d'un schéma chromatique à un autre, se fait toujours de manière très progressive.

Un jardin de ville verdoyant

Difficile de ne pas succomber au charme de ce minuscule jardin de ville auquel on accède, depuis une rue bruyante et encombrée, par un charmant portail en briques. Véritable havre de paix, cette oasis de verdure se trouve en rupture totale avec l'agitation et la frénésie qui règnent à l'extérieur de ses murs.

Le vert est ici la couleur dominante, car la volonté des propriétaires a été de construire une solide ossature de plantes choisies pour leur riche feuillage, et d'y ajouter çà et là quelques vivaces et arbustes à fleurs soigneusement sélectionnés. La plantation d'un espace de petites dimensions demande énormément de rigueur.

Un tel jardin est tout aussi gourmand en entretien qu'un autre plus fleuri. De fait, un programme précis de taille et de palissage est nécessaire afin d'encadrer du mieux possible la croissance des plantes qui le composent.

En regardant vers la maison depuis la rue, on observe les bordures composées d'intéressants mariages de plantes. Plusieurs cyprès de Lawson 'Columnaris' apportent une dimension verticale.

Depuis la maison, on distingue, à gauche, un piédestal entouré de lierre et surmonté d'un buis cultivé en pot. À mi-parcours de l'allée, l'écorce blanche d'un bouleau *Betula utilis* var. *jacquemontii* tranche sur le vert ambiant.

Depuis la serre, une allée flanquée de deux superbes statuaires invite à l'exploration d'une autre partie du jardin. La forme légèrement coudée de l'allée allonge le cheminement et empêche une découverte immédiate et globale de ce nouvel espace. Les plantations denses et variées ont été choisies pour apporter un peu de profondeur à la perspective, tandis que divers lierres utilisés en couvre-sol masquent et adoucissent les rebords en pierre des bordures.

Le dessin du jardin fait largement appel aux bordures surélevées. Les soutènements en pierre ont pour effet d'enfoncer visuellement les allées et de leur conférer une intimité dont ce type d'aménagement est habituellement dépourvu.

Alors que l'allée s'incurve mollement pour rejoindre la partie avant de la maison, l'œil est à nouveau attiré par une composition végétale paisible et harmonieuse où se mêlent tons verts et blancs. Les digitales blanches à haute tige *Digitalis purpurea* f. *albiflora* y sont associées à l'astrance *Astrantia major involucrata* et semblent flotter parmi les feuillages aux multiples nuances.

Un jardin de graviers

Ce jardin se situe en contrebas de la maison et il est relié à celle-ci par une volée de marches en pierres. L'été, les hauts murs emprisonnent la chaleur solaire et confèrent à cet espace confiné une atmosphère particulière.

Une large aire de graviers fait fonction de circulation vers tous les points du jardin. De façon pratique, ce traitement de sol offre l'avantage de refléter les rayons solaires et de retenir l'humidité. En outre, il procure un drainage de choix aux plantes gourmandes en soleil et leur permet de prospérer.

Ici, le schéma de plantation est essentiellement chromatique. Les dominantes roses, lilas, et mauves sont rehaussées par quelques touches de bleu indigo et de jaune citron. Les feuillages cireux, propres aux plantes capables de supporter un fort ensoleillement, ajoutent encore au charme de la composition, rehaussée par la présence de quelques plantes en pot disposées çà et là.

Glycines du Japon (*Wisteria floribunda*) et clématites *Clematis montana* 'Tetrarose' se marient admirablement bien.

Cette splendide jarre abrite un joli spécimen d'*Aeonium arboreum*.

Les feuilles finement divisées de *Choisya* 'Aztec Pearl' lui confèrent un charme particulier. De superbes *Camassia* bleus complètent le tableau.

Ces fleurs de *Dierama* tirent parti de l'excellent drainage que procure la couche de graviers

Une taille fréquente est nécessaire pour contenir la croissance de l'argousier (*Hippophaë rhamnoïdes*), ici associé à des roses 'Cerise Bouquet'.

De larges touffes d'un *Phuopsis stylosa* de belle teinte rose sont encouragées à s'étendre sur le gravier.

Les cistes apprécient tous un fort ensoleillement, et l'inclusion de plusieurs variétés dans ce jardin chaud et sec n'est pas surprenante. Ce ciste 'Elma' a été choisi pour ses fleurs à larges pétales blancs disposés autour d'étamines d'un superbe jaune d'or.

Ici, les fleurs des cistes 'Peggy Sammons' sont mêlées aux inflorescences en trompette de *Penstemon glaber*. Une élimination régulière des fleurs fanées assure une floraison constante de cette plante tout au long de l'été.

Un jardin en terrasses

Situé à proximité d'une grande ville dans un site privilégié dominant une petite vallée, ce terrain escarpé nécessitait un traitement radical. Après consultation avec le propriétaire, le paysagiste Julian Dowle décida d'aménager une série de petites terrasses reliées entre elles par des marches et des allées. À cela vinrent s'ajouter plusieurs plans d'eau de forme plus ou moins régulière, interconnectés par un réseau de conduits et canaux pour former l'élément majeur et central du projet.

Ce parti pris a donné naissance à plusieurs petits espaces, chacun conçu pour tirer le meilleur parti de vues spectaculaires et planté avec le souci de respecter le paysage environnant.

En dehors de la vue superbe, le jardin dans son aspect d'origine n'offre rien d'extraordinaire.

Le gros œuvre est terminé : la succession de terrasses a pris forme et la terre végétale a été déposée.

Sur cette vue prise depuis la partie basse du terrain, l'étendue des travaux de terrassement et de soutènement apparaît immédiatement. Il reste à effectuer les plantations.

Les plantations denses et serrées permettent de masquer les arêtes des constructions minérales, donnant ainsi à l'ensemble du jardin un caractère mystérieux.

Un plan d'eau de forme irrégulière est l'élément principal de cette terrasse. Les plantations incluent plusieurs plantes de rives gourmandes en eau.

Hostas et bergenias ont été plantés en abondance, car leurs larges feuilles se marient bien avec l'eau.

Cette charmante composition aquatique joue sur les contrastes de formes et de textures.

Ici, le plan d'eau est vu à hauteur d'œil, ce qui lui confère une dimension mystérieuse.

Un belvédère aux treillages habillés de grimpantes a été aménagé à l'angle de deux murs, sur l'une des terrasses basses.

Canalisée depuis les niveaux supérieurs, l'eau tombe en cascade dans un petit déversoir classique. Son ruissellement est perceptible depuis le belvédère.

Partie intégrante du schéma hydraulique, une gargouille en tête de lion crache un filet d'eau dans un bassin formel agrémenté d'un jet d'eau.

Un grand bassin de forme classique, et son puissant jet d'eau, forment l'élément principal de cette terrasse inférieure.

Sur cette autre terrasse, observée depuis un niveau supérieur, le volume des plantations a été volontairement limité.

Cette paisible terrasse constitue un répit avant l'ultime descente. Un limettier mature procure un peu d'ombre et ajoute à la fraîcheur de la composition.

De très nombreuses plantes, parmi lesquelles fougères, aronques, soucis d'eau, iris panachés et *Lysichiton camtschatcensis*, bordent le dernier plan d'eau.

Une porte ménagée dans le mur de pierre permet de sortir du jardin et d'accéder à la vallée.

De manière assez attendue, la dernière terrasse inclut un charmant pavillon d'été.

Sur cette vue générale, on comprend mieux la recette de ce succès : un plan audacieux, des structures bien délimitées et un schéma de plantation à la fois riche et bien pensé.

Depuis la terrasse la plus basse, la complexité des aménagements effectués apparaît dans toute son évidence. Malgré tout, un schéma de plantation intelligent assure que l'élément minéral ne règne pas en despote sur le lieu.

Un jardin clos

De hautes charmilles cernent ce petit jardin clos situé à l'arrière de la maison. Plusieurs plantes en pot, remplacées au gré des saisons, sont posées à même le sol recouvert de dalles de pierre rustiques.

Ici, l'espace est voué à la détente, à la prise occasionnelle d'un repas entre amis lors d'une belle journée d'été. Les propriétaires on souhaité s'entourer de plantes attrayantes et originales mais peu gourmandes en entretien.

Les lis parfumés (page ci-contre) sont très agréables au cœur de l'été, et la plupart acceptent très bien la culture en pot. Ici, ils sont entourés de tendres fuchsias, de pélargoniums et d'eucomides, reconnaissables à leurs feuilles vert foncé et à leurs fleurs spectaculaires.

Lis 'Pink perfection', fuchsias et *Nemesia* composent ce bel ensemble.

Les belles inflorescences des fuchsias se marient parfaitement avec les fleurs en clochette d'*Azorina vidalii*, ici cultivée en pot.

Ci-dessus, plusieurs
Kirengeshoma palmata sont
cultivés dans une étroite
bordure partiellement
ombragée. Ces vivaces à
floraison tardive poussent
sans difficultés mais elles
nécessitent un sol riche
en humus et beaucoup
d'humidité durant la
période de floraison.

Ce superbe *Garrya elliptica*,
plante à floraison d'hiver,
se situe non loin de la
porte de la cuisine.

La belle couleur rose pâle
des camélias 'Anticipation'
est associée aux tons plus
foncés de la clématite
Clematis alpina 'Ruby',
qui fleurit au printemps.

Derrière les buis taillés,
les épis floraux de *Smilacina
racemosa* apportent une
touche de blanc dans cette
composition printanière.

Un jardin secret

Rien dans son approche à travers les faubourgs d'une grande ville industrielle ne prépare le visiteur pour la découverte de ce jardin superbement composé. En franchir la porte revient à pénétrer dans un autre monde : la grisaille de la banlieue est tout à coup remplacée par les tendres couleurs d'un espace habilement aménagé en une série de parterres bien délimités.

Au premier coup d'œil, il est évident que les formes et les structures ont été ici privilégiées. Des successions de petits ifs taillés sont utilisées pour délimiter les parterres. Les buis sont façonnés en cône, en boule, en pyramide ou encore en spirale, ou bien simplement employés en séparations basses pour conférer unité et originalité à chacun des parterres. Allées et marches sont soulignées par des rondins traités, qui contrebalancent la sophistication du lieu.

Il ne s'agit pas d'un jardin de fleurs, même si les arbustes à fleurs et les vivaces sont utilisés en nombre. Ici l'attention s'est portée sur la symétrie, l'ordre et le sens des proportions.

Selon la volonté des propriétaires, le jardin a été conçu pour demeurer agréable durant de longues périodes malgré un entretien limité.

Une sculpture moderne montée sur piédestal termine une circulation transversale bien délimitée par des buis taillés en cône. Les allées construites de gravier et de pavés de granit reflètent l'austérité du lieu.

Cet emmarchement flanqué de deux massives pièces de bois est presque une œuvre d'art à lui tout seul. Le caractère direct et masculin du jardin est contrebalancé par un schéma de plantation subtil et longuement mûri.

Cette allée transversale ouverte sur une large aire engazonnée a été volontairement réduite en largeur afin de souligner le contraste entre les espaces.

Structures formelles et plantations désordonnées s'accordent à merveille dans ce recoin charmant. Deux vasques de pierre contiennent diverses variétés de joubarbe.

Cet emmarchement volontairement grandiloquent oriente le visiteur vers une nouvelle œuvre d'art.

Ces minuscules buis taillés en boule témoignent de l'importance accordée ici à la forme. Les inflorescences des aux ornementaux soulignent la dominante sphérique du parterre.

Cerné de tous côtés par des haies d'ifs, ce banc d'un bleu soutenu sert à la fois de siège et de point central pour la perspective.

Ici, le banc fait partie d'une composition plus large où les bordures joliment fleuries mordent sur le gazon.

De façon originale, les limites du jardin sont liées visuellement par des trouées habilement ménagées.

Pour conserver toute son allure, une haie de buis doit être taillée très régulièrement.

Cette partie du jardin blanc et argent est dominée par un petit pavillon d'été en pierre de taille.

Cette vue depuis le pavillon d'été souligne l'importance donnée aux perspectives.

Ci-dessus, quatre frênes pleureurs dominent une aire engazonnée qui rappelle, par son atmosphère, les cours frais et ombragés du Sud de la France.

Cette porte élégante ne conduit nulle part, mais elle donne de l'intérêt à une petite allée de traverse.

Cette charmante composition de buis se situe un peu en avant de la porte.

Ci-dessus, les haies de buis épousent le profil des marches à la manière de rampes végétales.

Une taille spiralée telle celle arborée par ce buis demande beaucoup de savoir-faire et de patience.

En tournant à nouveau le regard vers l'entrée du jardin, on obtient confirmation que le concepteur de cet espace a parfaitement maîtrisé l'art de la dissimulation. La porte se situe sur la droite, derrière le rideau d'ifs.

Un jardin en pots

Aussi incroyable qu'il puisse paraître, ce jardin est uniquement constitué de plantes cultivées en contenants. Après avoir réalisé que cet espace ne pouvait être végétalisé de façon traditionnelle, les propriétaires ont satisfait leur désir de verdure par ce biais ingénieux et original.

La création d'un tel jardin ne va pas sans contraintes. L'arrosage doit être effectué régulièrement et l'établissement d'un programme de fertilisation est nécessaire.

Cette haie bien établie semble être là depuis plusieurs années. Pourtant, elle est cultivée dans de vieux bacs à plantes.

Un espace a été laissé libre pour la création d'un petit coin repas. La prédominance des feuillages accentue encore l'atmosphère paisible du lieu.

Peu de jardiniers songeraient à cultiver des ifs d'Irlande en pot, et la plupart pensent sans doute que c'est impossible. C'est pourtant bien ce qui a été réalisé ici !

Ci-dessus, les pélargoniums font revivre la maison par une abondance de couleurs lorsque arrivent les mois les plus chauds de l'année.

À gauche, le garage disparaît presque sous la végétation. Au premier plan à droite, un if apporte un peu de verticalité, tandis qu'une collection de lierres et de petits conifères en pots est supportée par la toiture des remises.

Un ensemble hétéroclite de pots et conteneurs de toutes sortes constitue la partie principale du jardin. Ici, la culture en pot prend des proportions pharaoniques.

Deux pots rustiques abritent chacun un petit buis buissonnant. Les deux arbustes servent à délimiter un espace.

Une petite fontaine est entourée de superbes plantes choisies pour leur forme et leur texture.

119

Planter
un petit espace

Dans l'aménagement d'un petit espace, le schéma de plantation constitue souvent l'aspect le plus délicat. Malgré tout, il est possible d'utiliser un grand nombre de végétaux de dimensions conséquentes à condition de savoir contrôler leur croissance. Le choix des plantes est également déterminant pour le style final de l'espace paysagé.

Arbres et arbustes d'ornement à port dressé

Les jardiniers amateurs entretiennent tous le désir secret de faire pousser des arbres, et la vue de chênes majestueux se dressant dans un parc verdoyant ne laisse personne indifférent.

Heureusement, il existe un grand nombre d'arbres de dimensions modestes, à feuilles caduques ou persistantes. L'inclusion de certaines de ces essences dans un petit espace permet d'accentuer la notion d'échelle et d'apporter une dimension verticale. Avant de choisir, il convient de considérer les dimensions finales du sujet et sa forme, son feuillage, la texture de son écorce, ses éventuelles fleurs et fruits et ses couleurs automnales.

Acer platanoides **'Drummondii'** Cet érable platane est apprécié pour son feuillage panaché. 6 x 4,50 m

Cornus controversa **'Variegata'** Croissance très lente, mais beauté sans égale. 4,5 x 4,5 m.

Halesia monticola Cet arbre à croissance rapide requiert un sol non calcaire et fleurit à la fin du printemps. 4 x 3 m.

***Pyrus salicifolia* 'Pendula'** Ce poirier d'ornement donne des petites fleurs blanches au printemps. 6 x 4,50 m.

***Robinia pseudoacacia* 'Frisia'** Ce faux acacia est réputé pour son feuillage jaune d'or. 8 x 6 m.

***Caragana arborescens* 'Lorbergii'** Les fleurs jaune pâle de fin de printemps laissent place à des gousses cylindriques. 4 x 4 m.

***Magnolia × loebneri* 'Leonard Messel'** Un magnolia à floraison de printemps constitue un bon choix pour un petit jardin, particulièrement si le sol est non calcaire. 8 x 6 m.

***Laburnum watereri* 'Vossii'** Apprécié pour ses belles inflorescences jaunes de début d'été. 4,50 x 3 m.

Le ciel bleu azur met en valeur les superbes fleurs blanches de *Magnolia stellata*, qui peut être cultivé en forme dressée ou buissonnante.

Malus × schiedeckeri **'Red Jade'** Nombre d'espèces et cultivars du genre sont adaptés à un petit jardin, et tous fleurissent au printemps. 4 x 6 m.

Prunus **'Amanogawa'** Le port en colonne est la principale particularité de ce cerisier japonais à floraison printanière. 6 x 2 m.

Tamarix tetrandra En été, ce tamaris se couvre d'inflorescences plumeuses de teinte rose pâle. 4 x 4 m.

Salix caprea 'Kilmarnock' Ce saule marsault s'habille de chatons argentés au printemps. 2 x 2 m.

Dans le jardin d'un écrivain présenté à la page 62, le saule 'Kilmarnock' a été taillé en demi-sphère.

Salix alba subsp. vitellina 'Britzensis' Une taille sévère effectuée au début de l'année permet de conserver une forme arbustive. 3 x 3 m.

Cette pléthore de feuilles représente une seule saison de croissance pour le saule 'Britzensis'.

Laurus nobilis Le laurier noble se prête bien à la taille et constitue un sujet isolé attrayant. P, 12 x 10 m.

Carpinus betulus La croissance du charme commun peut être contrôlée par une taille régulière. 12 x 8 m.

Euonymus fortunei Ci-dessus, un fusain est cultivé en sujet isolé. 5 x 5 m.

Acer palmatum* var. *dissectum À
l'automne, le feuillage de cet érable prend
une belle couleur rouge vif. 1,5 x 2,4 m.

Amelanchier lamarckii Au printemps,
le feuillage cuivré fait ressortir les belles
fleurs blanches. 4,5 x 4,5 m.

Acer palmatum atropurpureum Les feuilles
de teinte bronze rougissent à l'approche
de l'automne. 4,5 x 4,5 m.

Rhus typhina Le sumac de Virginie est
caractérisé par de superbes couleurs
d'automne. 3 x 3 m.

Sorbus vilmorinii Feuillage d'automne rougeoyant et petites baies roses très décoratives : le sorbier est attrayant à plus d'un titre. 5 x 5 m.

Clerodendrum trichotomum Ce petit arbuste se couvre de fleurs blanches à longues étamines à la fin de l'été. 4 x 4 m.

Acer griseum Le tronc de cet érable offre de belles couleurs. 8 x 6 m.

Les petits conifères à croissance lente conservent leur intérêt toute l'année et réclament peu de soins.

Cet if d'Irlande (*Taxus baccata* 'Fastigiata') est l'hôte d'un rosier grimpant. À maturité, l'if atteindra une hauteur voisine de 4,50 m.

Abies balsamea f. ***hudsonia*** Un conifère de très petite taille qui convient bien pour un jardin de rocaille. P, 1 x 1 m.

***Chamaecyparis lawsoniana* 'Minima Aurea'** Ce conifère nain apporte un peu de verticalité dans une aire aménagée en éboulis. P, 1,20 x 1,20 m.

Juniperus communis **'Compressa'** Dans un espace de faible superficie, on peut opter pour ce genévrier à port en colonne. P, 0,75 x 0,15 m.

Juniperus sabina **'Tamariscifolia'** L'étalement naturel du genévrier Sabine en fait un couvre-sol idéal. P, 1 x 2 m.

Picea var. *albertiana* **'Conica'** Cette épinette naine se distingue par sa belle couleur vert tendre. P, 2 x 1 m.

Thuja orientalis **'Aurea Nana'** Parfaitement à sa place dans un petit jardin de rocaille. P, 1 x 0,75 m.

Arbustes de bordures

Les bordures entièrement constituées d'annuelles et de vivaces perdent souvent tout intérêt dès la fin de la période de floraison principale. Cela est particulièrement vrai à la fin de l'automne ou au début du printemps, lorsque les tiges ont été coupées au ras du sol et que la terre est nue.

La création de bordures mixtes, où se mêlent arbustes et plantes herbacées, permet d'obtenir des compositions mieux équilibrées. Fort heureusement, il existe un grand nombre d'arbustes de dimensions limitées et à croissance lente qui conviennent très bien pour un jardin de faible superficie. On peut les sélectionner pour leur feuillage, parfois panaché ou persistant, leurs fleurs, leur parfum ou leurs spectaculaires couleurs d'automne. Nombre d'arbustes de dimensions plus imposantes répondront bien à une taille judicieuse et régulière qui contiendra leur expansion.

Bien sûr, il n'est pas obligatoire de planter un arbuste au sein d'une bordure. La plupart des sujets se prêtent bien à une culture en pot, à condition de soins réguliers et d'un changement de contenant lorsque la croissance rend cette mesure nécessaire.

Chaenomeles **'Pink Lady'** Belles fleurs pourpres au printemps. 3 x 3 m.

Ribes speciosum À la fin du printemps et au début de l'été, les branches incurvées portent des inflorescences rouge foncé semblables à celles des fuchsias. 2 x 2 m.

***Pieris forrestii* 'Forest Flame'** Les pousses écarlates caractérisent la croissance nouvelle sur cet arbuste persistant à croissance lente. ◑ P, 2 x 4 m.

Forsythia × intermedia
Cet arbuste printanier
facile à cultiver est réputé
pour ses couleurs vives et
précoces. 3 x 2 m.

Berberis darwinii Les fleurs printanières d'un beau jaune
d'or sont suivies de baies pourpres à l'automne.
P, 4 x 4 m.

**Helianthemum 'Golden
Queen'** Les rosiers de
rocaille ont tous une
floraison prolongée.
P, 0,30 x 1 m.

Lupinus arboreus Le lupin en arbre fleurit au début de
l'été. Semi-P, 1,50 x 1,50 m.

***Philadelphus coronarius* 'Aureus'** Ce seringat cultivé pour son feuillage d'un beau vert-jaune convient bien pour un petit jardin, mais il supporte mal le plein soleil. 2 x 2 m.

Azara lanceolata Au printemps, les feuilles lancéolées vert brillant mettent en valeur les fleurs jaunes d'aspect duveteux. P, 2 x 2 m.

Fothergilla major Fleurs printanières agréablement parfumées et riches couleurs automnales caractérisent cet arbuste attrayant. 3 x 3 m.

Potentilla fruticosa Cet arbuste nain fleurit tout au long de l'été. 1,20 x 1,20 m.

Daphne* × *burkwoodii Au début du printemps, le délicieux parfum des fleurs de daphné envahit le jardin. 1,20 x 1,20 m.

Buddleja crispa Un emplacement ensoleillé et abrité est nécessaire pour cet arbuste non entièrement rustique qui fleurit à la fin de l'été. ○ 2,40 x 2,40 m.

Syringa* × *persica Cet arbuste compact doit subir une taille légère dès que les premières fleurs de printemps sont fanées. 2 x 2 m.

***Weigela florida* 'Variegata'** La masse d'inflorescences roses apparaît au début du printemps. Les *Weigela* préfèrent un emplacement ensoleillé et bien dégagé.
❍ 1,50 x 1,50 m.

Lonicera tatarica Ce chèvrefeuille arbustif fleurit à la fin du printemps.
1,20 x 1,20 m.

***Prunus tenella* 'Firehill'** Les riches inflorescences mauves en font un arbuste idéal pour une bordure de printemps.
❍ 2 x 2 m.

Viburnum plicatum Cet arbuste élégant est copieusement fleuri à la fin du printemps. 3 x 4 m.

Magnolia stellata Les fleurs en étoile apparaissent sur les tiges nues au début du printemps. Croissance très lente. 3 x 4 m.

Chaenomeles speciosa 'Nivalis' Ce cognassier produit de belles fleurs blanches tout au long du printemps. 2,40 x 5 m.

Exochorda × macrantha 'The Bride' Couvert de fleurs au printemps, cet arbuste constitue un hôte idéal pour une grimpante à floraison tardive. ◯ 2,4 x 3 m.

Viburnum × juddii Fleurs de printemps très parfumées. Cette viorne apprécie les sols bien drainés. 1,50 x 1,50 m.

***Spiraea nipponica* 'Snowmound'** Au début de l'été, cet arbuste facile à cultiver se couvre de belles inflorescences blanches. 2,40 x 2,40 m.

***Choisya* 'Aztec Pearl'** Cette superbe variété d'oranger du Mexique est issu d'un croisement de *C. ternata* et *C. arizonica*. P, 2 x 2 m.

***Rhododendron,* hybride 'Bric-à-Brac'** Les premières fleurs apparaissent dès la fin de l'hiver, mais elles craignent les gelées tardives. P, 1,50 x 1,50 m.

Les rosiers, rois des arbustes

Fort heureusement, rien ne s'oppose à la culture d'un rosier dans un jardin de faible superficie. Rosiers arbustes anciens, rosiers tiges ou rosiers miniatures, il existe une solution pour toutes les situations.

'Iceberg' On ne peut qu'admirer ce floribunda qui fleurit abondamment durant plusieurs mois. Idéal pour une culture au sein d'une bordure mixte. 1,20 x 1,20 m.

'Yvonne Rabier' Un rosier polyantha nain. 1,20 x 1 m.

'Little White Pet' Idéal pour une culture en pot. 0,60 x 0,60 m.

'Gentle Touch' Un rosier réellement miniature. 0,45 m.

La culture d'un rosier tige permet souvent de remédier à un manque d'espace. Ici, les fleurs veloutées d'un 'Royal William' surplombent un parterre de lierre des Canaries (*Hedera canariensis*). Ce couvre-sol rustique met agréablement en valeur la teinte cramoisie des inflorescences.

'Jacques Cartier' Rosier de Damas compact et remontant. 1,20 x 1 m.

'The Fairy' Jolies fleurs rose pâle. 0,60 x 1 m.

'Cécile Brunner' Belles fleurs agréablement parfumées. 1 x 0,60 m.

'Heritage' Un des rosiers de création récente regroupés sous l'appellation de rosiers anglais. Ces cultivars sont remontants et affichent un port compact.

'Amber Queen' Les fleurs de ce floribunda sont très parfumées. 0,60 x 0,60 m.

'The Pilgrim' Belles rosettes jaune vif pour ce rosier anglais. 1,10 x 1 m.

'Symphony' Similaire au précédent en hauteur et en port, avec des fleurs très parfumées. 1 x 1 m.

'Mountbatten' Rosier de bordure riche d'un feuillage foncé et de fleurs doubles lumineuses. 1,20 x 1 m.

AUTRES VARIÉTÉS
INTÉRESSANTES

'Agnes'
'Alfred de Dalmas'
'De Meaux'
'Fimbriata'
'Hermosa'
'La Ville de Bruxelles'
'Léda'
'Mundi'
'Nathalie Nypels'
'Old Blush China'
R. pimpinellifolia
'Pink Bells'
'Pretty Polly'
'Simba'
'Souvenir de la Malmaison'
'Stanwell Perpetual'

Grimpantes, des plantes de premier plan

Parce qu'elles croissent à la verticale et occupent de ce fait très peu de surface au sol, les plantes grimpantes se révèlent précieuses lorsqu'il s'agit de planter un petit espace. En outre, elles offrent une grande diversité de formes, de feuillages et de couleurs, apportant un point d'intérêt même dans les aménagements les plus pauvres et les situations les plus difficiles.

Les grimpantes persistantes sont d'une grande utilité pour faire écran à un voisinage peu agréable, pour dissimuler murs et clôtures de faible intérêt ou pour détourner l'œil d'un point de vue sans attrait. Palissées pour une croissance guidée sur un arbre ou un arbuste hôte, ces plantes apporteront un complément de feuillage d'une grande richesse.

Clematis macropetala **'Markham's Pink'**
Au début du printemps, cette clématite se couvre de fleurs rose bonbon. 1,80 m.

Clematis alpina **'Frances Rivis'**
(page ci-contre) Floraison de début de printemps. 1,80 m.

***Clematis alpina* 'Ruby'** Les fleurs mauves de cette clématite à floraison printanière s'épanouissent le mieux dans un emplacement ensoleillé. 1,80 m.

***Clematis alpina* 'Willy'** La plupart de ces clématites de printemps à croissance modérée se prêtent bien à une culture en pot. 1,80 m.

***Clematis macropetala* 'Maidwell Hall'** Les variétés de *C. macropetala* offrent toutes une superbe floraison printanière. 1,80 m.

***Clematis montana* 'Elizabeth'** Belle floraison de printemps mais croissance peu aisée à contrôler dans un petit espace. 6 m.

Clematis chrysocoma Similaire aux variétés de *C. montana*, mais de croissance moins vigoureuse. 6 m.

***Clematis* 'Nelly Moser'** Une plantation de mi-ombre permet de prévenir une flétrissure précoce des sépales teintés de rose et de mauve. Floraisons de printemps et de fin d'été. 3 m.

147

Clematis '**Lady Northcliffe**' Presque toujours fleurie du milieu à la fin de l'été. 1,80 m.

Clematis '**Étoile de Malicorne**' Utilisée ici pour garnir la partie basale d'une haie d'ifs. Floraison à la fin de l'été. 1,80 m.

Clematis '**Mrs. Cholmondeley**' La croissance vigoureuse de cet hybride à grandes fleurs est contrôlée par une taille sévère en début d'année. Floraison au début de l'été. 6 m.

Clematis **'Kathleen Wheeler'** Cette grimpante buissonnante donne de superbes fleurs mauves. 1,80 m.

Clematis **'Elsa Späth'** Floraisons de mi-été et de début d'automne. 1,80 m.

Clematis **'Barbara Dibley'** Grâce à sa croissance modérée, cette clématite à superbes fleurs mauves convient pour un grand nombre de situations. Floraison au début de l'été. 1,80 m.

***Clematis* 'Niobe'** Une taille légère au début de l'année permettra d'augmenter le nombre de fleurs, tandis qu'une autre plus sévère retardera la floraison jusqu'à la fin de l'été. 2,40 m.

Les trois clématites présentées ci-contre sont idéales pour donner des couleurs au jardin jusqu'à la fin de l'été.

La première à fleurir est *C.* x *jackmanii* (page opposée en haut), très appréciée des jardiniers à cause de sa robustesse et de ses belles couleurs. Les hybrides de *C. viticella*, à floraison tardive, comptent parmi les clématites les plus réputées. Sont représentées ici 'Madame Julia Correvon' (page opposée en bas), aux superbes fleurs carmin, et 'Purpurea Plena Elegans' (ci-contre), qui produit d'étonnantes fleurs doubles en des tons rose et mauve.

Wisteria floribunda Le palissage sur poteau de bois donne souvent de bons résultats. Floraison au début de l'été. ◯ 9 m.

***Wisteria floribunda* 'Alba'** Beaux racèmes de fleurs blanches au début de l'été. Taille en hiver et en été. ◯ 9 m.

Lonicera etrusca Hélas, ce chèvrefeuille n'est pas totalement rustique. Floraison en été et en automne. ◯ 4 m.

***Lonicera japonica* 'Halliana'** Une grimpante persistante à croissance rapide. Les fleurs très parfumées apparaissent en été. P, 4 m.

Hydrangea anomala petiolaris Ce superbe arbuste grimpant est lent à s'établir, mais il produit de belles inflorescences blanches en été. Tolère un emplacement à l'ombre. 8 m.

Actinidia kolomikta Le nervurage peu habituel des feuilles caractérise cette grimpante à croissance modérée. S'accommode mieux d'un emplacement bien ensoleillé. 3,50 m.

Rosiers grimpants

Avec leurs parfums capiteux et leurs superbes inflorescences diversement colorées, les rosiers symbolisent le début de l'été. Dans un petit jardin, la culture de rosiers buissons anciens, gourmands en espace, se révèle souvent difficile, mais rien ne s'oppose à l'inclusion de deux ou trois rosiers grimpants.

Le choix des espèces et cultivars doit être opéré avec soin. La plupart des rosiers sarmenteux sont trop vigoureux pour un jardin de faible superficie, et certains rosiers grimpants peuvent, une fois établis, déborder de l'espace qui leur est dévolu. Les sujets remontants sont à privilégier pour une période d'intérêt prolongée.

Rosa '**Blush Noisette**' Produit de jolies fleurs agréablement parfumées tout au long de l'été. 2,20 m.

Rosa '**Golden Showers**' Fleurit abondamment, même contre un mur non exposé au soleil. 3 m.

154

Rosa **'Climbing Iceberg'** La forme grimpante du rosier 'Iceberg' a une période de floraison prolongée. 3 m.

Rosa **'Variegata di Bologna'** La floraison faiblement récurrente est compensée par l'étonnante coloration des fleurs. 3 m.

Rosa **'Buff Beauty'** Ce rosier délicieusement parfumé peut être facilement palissé. 3 m.

Arbustes grimpants pour murs

Dans un petit jardin, où l'espace est précieux, il est nécessaire d'expérimenter divers types de plantations. Il faut également garder à l'esprit qu'un jardin clos favorise l'émergence d'un microclimat permettant la culture de plantes réputées non adaptées au site.

Un mode de plantation dense et serré contribue à protéger les végétaux contre les intempéries, mais cela ne doit pas dispenser le jardinier, lors des périodes de grand froid, d'habiller la base des arbustes par un paillage.

Abutilon megapotamicum Palissé sur un mur ensoleillé, cet arbuste donnera de belles fleurs rouge et jaune à la fin de l'été. P, 2,40 m.

Carpenteria californica Le feuillage persistant d'un beau vert brillant fait ressortir les fleurs très parfumées qui perdurent jusqu'au milieu de l'été. 1,50 x 1,50 m.

Rhodochiton atrosanguineus Cette grimpante exotique est souvent cultivée en annuelle dans les régions froides. ○ 3 m.

Robinia kelseyi Les fleurs très spectaculaires apparaissent à la fin du printemps. ○ 2,40 m.

Passiflora caerulea Les fleurs de printemps et d'automne sont suivies de jolies petites baies. ◗ 6 m.

Lavatera maritima bicolor Cet arbuste à floraison abondante doit subir une taille sévère au début du printemps. 1,50 m.

Eccremocarpus scaber Les fleurs tubulaires rouge et orange apparaissent en été. ◗ 4 m.

***Ceanothus* 'Blue Mound'** Ce superbe arbuste donne des fleurs bleues au début de l'été. Il peut constituer un hôte de choix pour nombre de grimpantes. ◗ P, 1,50 x 2 m.

Abutilon* × *suntense Fleurit à la fin du printemps et au début de l'été. ○ 2,40 m.

× *Fatshedera lizei* Très belles feuilles d'un beau vert brillant. P, 2 x 3 m.

***Solanum crispum* 'Glasnevin'** Couvert de fleurs durant la plus grande partie de l'été. Rustique jusqu'à -5 °C. ○ P ou semi-P, 6 m.

Callistemon pallidus Les étonnantes inflorescences du rince-bouteille se forment au début de l'été. Requiert un emplacement de plein soleil en sol acide et bien drainé. P, 3 m.

Vivaces, des plantes pour toutes saisons

Dans un aménagement paysagé, les plantes vivaces sont toujours essentielles. Cette catégorie englobe non seulement une très grande quantité de plantes à fleurs, mais également des fougères, des joncs et des graminées. Certaines vivaces ne peuvent être utilisées dans un petit espace à cause de leurs dimensions imposantes ou de leur propension à se reproduire trop librement. D'autres, douées d'une floraison incertaine ou trop courte, doivent être laissées de côté au profit d'espèces ou cultivars mieux adaptés. Fort heureusement, le choix ne manque pas.

Il convient, malgré tout, d'être prudent. Souvent, un jardin planté de vivaces de telles dimensions peine à éveiller l'intérêt. Certaines vivaces peuvent être choisies pour l'impact qu'elles auront dans un petit espace. D'autres seront parfaites pour apporter un peu de verticalité aux bordures et parterres.

***Epimedium* × *youngianum* 'Roseum'**
Au début du printemps, les fleurs roses émergent d'une couronne de feuilles basale. 0,25 x 0,30 m.

Primula vulgaris Un emplacement frais partiellement ombré est idéal. Floraison de début de printemps. 0,10 m.

Convallaria majalis Accepte tous les emplacements. Floraison de printemps. ◑ ● 0,20 m.

Lamium maculatum 'White Nancy' Ce cultivar de lamier tacheté est parfait pour égayer un recoin quelque peu délaissé. 0,15 x 0,60 m.

Dicentra 'Bacchanal' Les inflorescences carmin sont nombreuses tout au long du printemps. 0,30 x 0,30 m.

Primula denticulata var. alba Belles inflorescences sphériques au début de l'année. ◑ 0,20 x 0,30 m.

Uvularia grandiflora Les fleurs printanières de cette campanule sont gracieuses et originales. Elle préfère un sol humide et légèrement acide dans un emplacement partiellement ombragé. ○ 0,30 x 0,30 m.

***Ajuga reptans* 'Catlin's Giant'** Les hautes inflorescences violettes se forment au printemps. P, 0,15 x 0,60 m.

Galium odoratum Les petites fleurs blanches étoilées apparaissent au printemps. Elles sont très durables. 0,20 x 0,30 m.

Iris graminea Les étroites feuilles lancéolées enserrent une inflorescence mauve de fin de printemps.
◐ 0,30 x 0,30 m.

Sedum ***'Ruby Glow'*** Se couvre d'une masse de fleurs cramoisies à la fin de l'année. ○ 0,30 x 0,30 m.

***Campanula punctata* 'Rubriflora'** L'été, les fleurs tubulaires mauves décorent le jardin durant plusieurs semaines. 0,30 x 0,30 m.

Phlox carolina 'Bill Baker' Dès le début de l'été, l'élimination régulière des têtes fanées sera récompensée par une floraison prolongée. 0,30 x 0,30 m.

Phlox divaricata 'May Breeze' Les inflorescences de ce phlox à floraison précoce mêlent des tons blanc et lilas clair. 0,30 x 0,20 m.

Dianthus gratianopolitanus La plupart des œillets anciens apprécient un emplacement en plein soleil. Floraison d'été. ◯ 0,20 x 0,45 m.

Geranium renardii Au début de l'été, les fleurs veinées de violet sont mises en valeur par le feuillage vert-gris. ○ 0,30 x 0,30 m.

Geranium endressii Se couvre de petites fleurs roses durant plusieurs semaines en période estivale. 0,60 x 0,60 m.

***Geranium pratense* 'Mrs. Kendall Clark'** La superbe couleur des fleurs d'été est le principal attrait de ce géranium. 0,75 x 0,45 m.

***Geranium cinereum* 'Ballerina'** La floraison estivale se prolonge durant plusieurs semaines. 0,20 x 0,30 m.

Helleborus orientalis Ces ellébores à floraison précoce comptent parmi les plus belles fleurs de printemps. ◐ 0,45 x 0,45 m.

Eryngium variifolium Les panicauts enrichissent les bordures en fin d'été. ○ 0,45 x 0,25 m.

Persicaria campanulata Cette vivace rustique colore le jardin jusqu'aux premières gelées d'automne. 1 x 1 m.

Euphorbia nicaeensis Cette plante vaut surtout par son feuillage très spectaculaire. ○ P, 0,40 x 0,60 m.

Savoir bien marier les plantes est très important dans un jardin de faible superficie. Ici, des hostas aux belles feuilles gris-vert sont associées à *Astilbe*, dont les inflorescences cotonneuses blanches et rose corail semblent flotter dans l'air.

Nepeta **'Six Hills Giant'** Tailler après les fleurs d'été pour une deuxième floraison plus tard dans la saison. ○ 0,60 x 0,60 m.

Polemonium reptans **'Lambrook Mauve'** En été, les fleurs de ce cultivar à port étalé sont de pures merveilles.

Scabiosa caucasica Cette scabieuse à fleurs
mauves éclaire le jardin en été.
○ 0,60 x 0,60 m.

Salvia sclarea* var. *turkestanica
Les plantules à croissance spontanée
apparaissent au printemps et fleurissent
en été. 0,75 x 0,30 m.

Iris pallida* ssp. *pallida Au début de l'été, les iris apportent gaieté et structure aux
bordures. Il est toujours préférable de planter une seule espèce ou variété plutôt que
plusieurs aux fleurs de différentes couleurs. ○ 0,45 x 0,30 m.

Knautia macedonica Associées à des
véroniques bleu lavande, ces *Knautia*
rouge sang forment une superbe
composition estivale. 0,45 x 0,45 m.

Salvia × superba 'Mainacht' Produit de
hauts épis de fleurs mauves du milieu à la
fin de l'été. 0,45 x 0,45 m.

Aquilegia, hybride Ces ancolies à long
éperon floral se reproduisent
spontanément et fleurissent en nombre au
printemps et en été. 1 x 0,45 m.

Thalictrum aquilegiifolium Les inflorescences plumeuses apportent un peu de légèreté aux compositions estivales. 0,75 x 0,60 m.

***Paeonia lactiflora* 'Bowl of Beauty'** Cette pivoine est très appréciée en été pour ces belles fleurs bicolores. 1 x 1 m.

Papaver orientale Fleurit au début de l'été, mais les feuilles flétries doivent être masquées 1 x 0,60 m.

Diascia vigilis Les diascies donnent toutes de superbes couleurs durant une grande partie de l'été. 0,45 x 0,45 m.

***Alstroemeria*, hybrides Ligtu** Les inflorescences d'été de ces hybrides évoquent les pays exotiques.
↺ 0,60 x 0,30 m.

***Penstemon* 'Apple Blossom'** Les galanes sont d'excellentes vivaces de bordure, à cause de leur longue période de floraison estivale. ↺ 0,60 x 0,45 m.

Lychnis chalcedonica Les têtes florales cramoisies, très durables, apportent un peu de couleur aux bordures de début d'été. 1 x 0,45 m.

***Crocosmia* 'Vulcan'** Précieuses au sein des bordures à partir du milieu de l'été. 1 x 0,30 m.

Smilacina racemosa Produit des épis floraux de fin de printemps même dans un emplacement peu ensoleillé. 0,75 x 0,75 m.

Polygonatum × hybridum Les fleurs en clochette du sceau de Salomon apparaissent sur les longues tiges courbées à la fin du printemps. 1 x 0,45 m.

Sisyrinchium striatum Feuilles comparables à celles des iris et petites inflorescences estivales de teinte crème. 0,60 x 0,30 m.

Lysimachia clethroides Superbe associée à des fleurs blanches, bleues ou jaune pâle. Floraison de fin d'été. 1 x 0,30 m.

Dictamnus albus purpureus Dans cette jolie composition de printemps, les inflorescences roses de ce dictame sont associées aux fleurs couleur neige d'un rosier 'Iceberg'. 0,60 x 0,60 m.

Gillenia trifoliata En été, cette vivace gracile permet de combler des espaces entre d'autres plantes plus spectaculaires. 1 x 0,60 m.

Stachys macrantha Ici, les inflorescences mauves d'été très distinctives sont joliment mises en valeur par des fleurs de nigelle. 0,45 x 0,45 m.

Kniphofia **'Little Maid'** Les épis floraux
jaune crème nuancés de vert conviennent
bien pour une apaisante composition
d'été. 0,60 x 0,45 m.

Asphodeline lutea Les petites fleurs jaunes
d'été couvrent presque entièrement la
haute tige et le discret feuillage.
1 x 0,60 m.

Veronica gentianoides **'Tissington White'** Ces véroniques à fleurs mauve pâle sont
idéales pour structurer la partie externe d'une bordure. Les inflorescences apparaissent
dès le milieu du printemps. Les feuilles sont persistantes. ◐ 0,25 x 0,20 m.

Anthemis tinctoria **'Alba'** Les petites fleurs aux pétales crème apparaissent en nombre dès le milieu de l'été. ❍ 0,75 x 0,75 m.

Inula barbata Les intéressantes fleurs jaune vif continuent d'apparaître jusqu'en automne. ❍ 0,60 x 0,45 m.

Rudbeckia fulgida **'Goldsturm'** Cette vivace de fin d'été très prolifique fleurit durant plusieurs mois. Ici, elle est associée à *Helenium* 'Golden Youth' pour un mariage de tons jaunes. ❍ 0,75 x 0,45 m.

***Aster × frikartii* 'Mönch'** Sa longue période de floraison, à partir du milieu de l'été, en fait un des cultivars les plus intéressants. Les superbes épis floraux d'*Agastache* 'Blue Fortune' sont visibles au premier plan. ○ 0,75 x 0,45 m.

***Hemerocallis* 'Summer Wine'** Produit de belles fleurs à texture veloutée du milieu à la fin de l'été. 1 x 1 m.

***Phlox* 'Norah Leigh'** Les feuilles bicolores sont pour beaucoup dans l'attrait de ce phlox à floraison d'été. ○ 0,75 x 0,60 m.

Alors que l'automne approche, les échinacéas s'en donnent
à cœur joie. Sont représentés ici *Echinacea purpurea*
et *E. purpurea* 'White Swan'. 0,75 x 0,45 m.

Campanula lactiflora Cette campanule rend merveilleusement bien à l'arrière-plan d'une bordure d'été. 1,20 x 0,60 m.

Campanula latifolia alba Planter cette campanule à l'ombre pour mieux profiter de la superbe blancheur des fleurs d'été. 1,20 x 0,30 m.

***Aconitum carmichaelii* 'Barker's Variety'** Cet aconit à floraison tardive est une plante toxique, dont l'inflorescence est quelque peu sinistre. 1,5 x 0,30 m.

***Phlox paniculata* 'Fujiyama'** Les belles inflorescences blanches d'été sont agréablement parfumées. ❍ 1 x 0,75 m.

Crambe cordifolia Les petites fleurs mauves très parfumées, qui apparaissent en été, font de cette vivace un choix presque incontournable. ◯ 2 x 1,20 m.

Alcea rugosa Fortes de leurs hautes tiges et de leurs belles fleurs, les roses trémières illuminent le jardin en été et au début de l'automne. 2 x 0,45 m.

Cephalaria gigantea La fine tige en fait un bon choix pour le premier plan d'une bordure d'été. 2 x 0,45 m.

***Verbascum chaixii* 'Album'** Les épis floraux de cette vivace à floraison d'été sont impressionnants. 1,50 x 0,45 m.

Lobelia syphilitica Ce lobélia n'est complètement rustique que dans un jardin très abrité. Fleurit à la fin de l'été et en automne. 1,20 x 0,30 m.

Delphinium Une place devrait être trouvée dans chaque jardin pour cette vivace à floraison d'été appréciée de tous. Faire son choix parmi les nombreux hybrides à grandes fleurs. ○ 2,40 x 1 m (varie selon le type).

***Aster novi–belgii* 'Goliath'** Cet aster apporte de la couleur aux bordures, de la fin de l'été au milieu de l'automne. ○ 1,20 x 0,45 m.

Anemone* × *hybrida Les anémones japonaises comptent parmi les principaux attraits du jardin de fin d'année. 1,50 x 0,45 m.

Annuelles, bisannuelles et vivaces semi-rustiques, un effet immédiat

Rien ne peut égaler une composition d'annuelles pour un festival de couleurs durant toute la saison de croissance. Généralement cultivées à partir de graines, ces plantes fleurissent après un temps très court, peuvent satisfaire à peu près tous les goûts et parviennent à répondre à toutes sortes de situations. Sauges de parterre, roses et œillets d'Inde, pétunias, lobélias bleus et mauves ou superbes impatientes raviront l'œil, tandis que *Nemesia* et fleurs de tabac charmeront les narines de leurs délicieux parfums. Pour une touche d'exotisme, lotus, *Osteospermum* semi-rustiques, graciles *Argyranthemum* et superbes gazanias auront la primeur. Enfin, ceux qui privilégient une ambiance éthérée choisiront plutôt des nigelles à fleurs bleu pâle qu'ils feront suivre de cosmos à fleurs blanches tardives.

Helianthus Les joyeux tournesols sont superbes à l'arrière-plan d'une bordure. ○ 2,20 m (parfois plus).

Helichrysum Les immortelles conviennent également pour de superbes compositions de fleurs séchées. ○ 0,60 x 0,30 m.

Clarkia elegans Les *Clarkia* forment de jolies masses colorées au début de l'été. ◖ 0,60 x 0,30 m.

Digitalis purpurea Cette bisannuelle traditionnelle demeure un choix très sûr pour le milieu de l'été. ◐ 1,20 x 0,30 m.

***Argyranthemum* 'Vancouver'** Fragile mais très élégant, ce sous-arbrisseau est parfait pour une culture en pot. ◖ 1 x 1 m.

Cosmos Cette belle annuelle est réputée pour sa longue période de floraison. 1 x 0,60 m.

***Arctotis* × *hybrida* 'Wine'** Doit être traitée comme une annuelle dans les régions les plus froides. Fleurit du début de l'été au début de l'automne. ◔ 0,45 x 0,30 m.

Felicia amelloides Les jolies fleurs bicolores illuminent le jardin tout au long de l'été. ◔ 0,45 x 0,30 m.

Lavatera trimestris Une annuelle semi-rustique proche de la mauve musquée. ◔ 0,60 x 0,30 m.

Pelargonium zonale Le grand nombre de cultivars contribue au succès de ces fleurs couramment appelées géraniums des jardins. ◔ 0,45 m.

Aucun jardin digne de ce nom ne saurait se passer
du superbe *Dianthus barbatus*. Une fois établie, cette
bisannuelle peut se reproduire spontanément.
Très élégants au sein d'une bordure
d'été, les œillets de poète sont
également superbes en
fleurs coupées pour de
jolis arrangements
d'intérieur.

Nicotiana Les fleurs saumon clair du tabac sont ici associées à des impatientes.
❍ 0,30-0,90 x 0,30-0,45 m.

Zinnia Semées en plein sol à la fin du printemps, les colorés zinnias fleurissent en abondance en été. ❍ 0,75 x 0,30 m.

Nigella damascena Il est difficile de résister à cette annuelle au nom enchanteur : cheveux-de-Vénus.
❍ 0,45 x 0,20 m.

Heliotropium Les fleurs bleu foncé ou violettes des héliotropes sont très parfumées. ❍ 0,45 x 0,30 m.

Antirrhinum Les racèmes des gueules-de-loup évoquent des souvenirs d'enfance.
Ces annuelles offrent diverses couleurs, dont ces superbes rouges et orangés.
❍ 0,30 x 0,15 m.

Tagetes patula Les œillets d'Inde
produisent de belles fleurs jaune d'or tout
au long de l'été. ❍ 0,25 m

Tagetes Cette variété d'œillet d'Inde est
caractérisée par de belles fleurs doubles.
❍ 0,25 m.

Pensées sauvages Avec leurs multiples combinaisons de couleurs, les pensées sauvages rencontrent toujours un grand succès. Leur floraison ne sera pas entièrement stoppée par la plus sévère des gelées. 0,15 m.

Limnanthes douglasii Les fleurs d'aspect original sont idéales pour composer une bordure de début d'été. ◯ 0,15 m.

Calendula officinalis Les vrais soucis sont tous caractérisés par une grande simplicité de forme. Floraison du printemps à l'automne. ◯ 0,45 x 0,30 m.

Gazania **'Dorothy'** Cette plante offre un grand nombre de teintes florales. Un emplacement ensoleillé est vivement conseillé. ◯ 0,30 x 0,20 m.

Chrysanthemum parthenium Réputée pour ses feuilles aromatiques et ses belles fleurs durables. ◯ 0,25 x 0,15 m.

Viola **'Sorbet Mixed'** Il existe un nombre incalculable de variétés de pensées, et toutes apportent une touche de gaieté au jardin. 0,10 x 0,30 m.

Godetia Les fleurs en calice sont parfaitement mises en valeur au sein d'une bordure. 0,20-0,30 m.

***Schizanthus × wintonensis* 'Hit Parade'** Cette « orchidée du pauvre » compte parmi les plus belles des annuelles. ○ 0,30 m.

Salvia splendens Les inflorescences écarlates sont réellement spectaculaires. ○ 0,30 m.

Nemesia Nemesia est parfait pour apporter gaieté et couleur à une bordure. ○ 0,30-0,45 m.

Salpiglossis **'Casino'** Les fleurs en trompette richement colorées font de cette annuelle une candidate pour nombre de compositions. ○ 0,60-0,90 m.

Une telle bordure, largement plantée de fuchsias à floraison estivale, égaye le jardin durant la plus grande partie de l'été.

Lobularia maritima (Alyssum maritimum)
Souvent utilisée comme plante de bordure. Existe également à fleurs roses ou lilas. ○ 7,5 cm.

Osteospermum **'Whirligig'** Fleurs superbement dessinées. Un emplacement ensoleillé est nécessaire. ○ 0,30 x 0,30 m.

Senecio maritima La cinéraire maritime est réputée pour le caractère ornemental de ses feuilles bleu argent très découpées. Ici, elle est placée au cœur d'un massif de bégonias. ◐ 0,30 x 0,30 m.

Impatiens Ces annuelles aux belles couleurs fleurissent tout au long de l'été. 0,30 x 0,15 m.

Ageratum La floraison précoce se poursuit jusqu'en automne. ◐ 0,15 m.

Plantes alpines, de minuscules trésors

Les plantes de rocaille sont idéales pour l'aménagement d'un jardin de faible superficie. De par leur dimensions réduites, bulbes, vivaces et arbustes alpins seront tout à fait à leur place au sein d'un espace paysagé d'échelle modeste. On les placera de préférence au premier plan de bordures, au sein d'éboulis ou de petites rocailles, ou bien dans un vaste contenant telle qu'une vieille auge en pierre.

De façon générale, ces plantes détestent les hivers humides et s'épanouissent pleinement plantées dans un sol bien drainé, obtenu par ajout de généreuses quantités de gravillons.

Cette rocaille luxuriante et colorée a été aménagée avec le souci de respecter l'échelle environnante. L'emploi de blocs de pierre de grandes dimensions a permis de suggérer un relief naturel.

Aubrieta **'Barker's Double'** Ici, les fleurs d'aubriette s'étendent sur une face verticale et forment un contraste saisissant avec le brun clair des pierres. Cette alpine fleurit du début du printemps au début de l'été. ○ 0,05 x 0,45 m.

Iberis priutii Les petites fleurs blanches de fin de printemps et de début d'été sont mises en valeur par le feuillage persistant de teinte foncée. La plante semble surgir d'une crevasse formée par deux rochers. ○ 0,15 x 0,45 m.

Sanguinaria canadensis
'Plena' Les fleurs neigeuses
apparaissent au début du
printemps. ☾ 0,10 m.

Ipheion uniflorum
'Violaceum' Ce bulbe
produit des petites fleurs
de forme étoilée. 0,15 m.

Iris pumila Iris miniature
très à l'aise sur gravillons.
Floraison de mi-printemps.
0,10 m.

Lithodora diffusa **'Star'** Au début de l'été, les belles fleurs en des tons bleu et mauve
dessinent une étoile à cinq branches. 0,15 m.

Tulipa batalinii Les fleurs jaune pâle éclosent au printemps. 0,10 m.

Corydalis flexuosa Les superbes fleurs bleues apparaissent à la fin du printemps. 0,30 x 0,30 m.

Dicentra cucullaria Cette alpine délicate fleurit au printemps. 0,15 m.

Penstemon menziesii Les fleurs de ce *Penstemon*, l'un de ceux convenant pour une culture en rocaille, apparaissent au début de l'été. 0,15 x 0,30 m.

Les primevères à fleurs doubles, telles que celle-ci, sont de plus en plus appréciées. Elles doivent être divisées après la floraison de printemps. 0,10 m.

La semaine pascale correspond à la floraison de *Pulsatilla vulgaris*.

À la même époque apparaissent les inflorescences mauves d'une variété de célandine (ci-dessous, au centre) et les fleurs jaunes de la renoncule *Ranunculus* 'Brazen Hussey' (ci-dessous, à droite), rehaussées par de belles feuilles de teinte bronze.

Tout le monde sait reconnaître une primevère, mais peu de jardiniers amateurs connaissent *Primula* 'Hose-in-Hose', qui associe les formes florales typiques de la primevère à une touffe épaisse de feuilles miniatures.

Phlox bifida Ce phlox de rocaille est vu ici à proximité d'une plaque d'ardoise.
◯ P, 0,10 x 0,30 m.

Saxifraga Les jolies fleurs bicolores apparaissent au printemps.
P, 0,15 x 0,30 m.

Phlox subulata 'Betty' Ce phlox à croissance lente fleurit à la fin du printemps et au début de l'été.
◯ P, 0,10 x 0,30 m.

Daphne cneorum En fin de journée, le parfum de ce daphné miniature emplira l'ensemble du jardin. Les petites feuilles sont persistantes et les belles fleurs roses apparaissent au printemps. P, 0,45 x 0,90 m.

***Aethionema* 'Warley Rose'** Cet arbuste semi-persistant se couvre de fleurs au début de l'été. ○ 0,15 x 0,25 m.

Androsace lanuginosa Une vivace couvre-sol qui fleurit durant la plus grande partie de l'été. 0,05 x 0,30 m.

Arenaria montana Doit subir une taille sévère après la floraison d'été. 0,15 x 0,30 m.

Brunnera macrophylla olies fleurs de printemps. ◖ 0,45 x 0,45 m.

Ajuga '**Pink Surprise**' Elégant tapis de feuilles et belles fleurs de printemps. P, 0,15 x 0,60 m.

Lamium roseum '**Wootton Pink**' (page opposée) À la fin du printemps, les superbes fleurs rose pâle sont mises en valeur par le feuillage panaché. 0,15 x 0,30 m.

Epimedium × *youngianum* '**Roseum**' Les petites fleurs roses apparaissent au printemps. En automne, les feuilles prennent une jolie teinte bronze. 0,25 x 0,30 m.

Alchemilla conjuncta Racèmes de fleurs jaune-vert tout au long de l'été. 0,15 x 0,30 m.

Alchemilla erythropoda Cette alchémille miniature possède toutes les qualités d'*A. mollis* 0,15 x 0,30 m.

Euphorbia myrsinites Cette euphorbe se plaira sur un lit de pierres ou au flanc d'un petit mur. Au printemps, les bractées jaune-vert se forment au-dessus d'une touffe de feuilles charnues. 0,15 x 0,30 m.

Gentiana sino-ornata Superbes fleurs bleues en automne, mais nécessite un sol acide, un emplacement ensoleillé et de l'eau en abondance. 7,5 x 25 cm.

Campanula **'Birch Hybrid'** Cette alpine à croissance rapide fleurit du milieu à la fin de l'été. 0,15 x 0,30 m.

Campanula garganica Les fleurs mauves étoilées de cette campanule apparaissent en été. 0,15 x 0,30 m.

Omphalodes cappadocica **'Cherry Ingram'** Produit une masse de jolies fleurs bleues tout au long du printemps. 0,15 x 0,30 m.

Ramonda myconi Une des rares alpines à
tolérer un emplacement non ensoleillé.
Floraison de fin de printemps ou de
début d'été. ● P, 7,5 x 15 cm.

Erinus alpinus Les fleurs de fin de
printemps et d'été combinent des tons
rouge, mauve, rose et blanc.
❍ P, 7,5 x 7,5 cm.

Erigeron karvinskianus Cette alpine à
reproduction spontanée s'accroche là où
bon lui semble et fleurit en été et en
automne. ❍ 0,15 x 0,30 m.

Armeria maritima Produit des petites
fleurs roses sphériques tout au long de
l'été. ❍ P, 0,10 x 0,20 m.

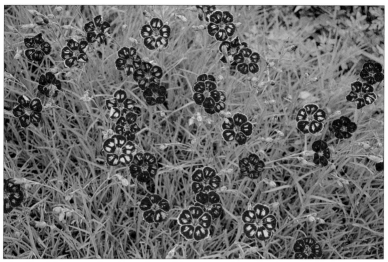

Dianthus **'Gravetye Gem'** Les fleurs élégantes et très parfumées sont autant de raisons de planter cet œillet alpin à floraison d'été. ○ P, 0,20 x 0,30 m.

Dianthus **'Rose de Mai'** Fleurs roses en abondance durant tout l'été.
○ P, 0,20 x 0,45 m.

Convolvulus sabatius Les belles fleurs mauve pâle apparaissent jusqu'au début de l'automne. ○ 0,15 x 0,45 m.

Plantes à bulbes, ornements de toutes saisons

Des premières perce-neige en fin d'hiver aux nérines d'automne, nombreux sont les bulbes capables d'apporter couleurs et gaieté au plus petit des jardins.

Le secret de la réussite est une plantation en groupes compacts. Ainsi disposés, les bulbes peuvent combler un vide entre deux vivaces, établir un contraste avec un arbuste persistant ou former un points d'intérêt dans un large pot.

De façon générale, les bulbes requièrent un bon drainage. Un sol lourd ou facilement détrempé pourra être amélioré par l'ajout de vermiculite horticole. Dans certains cas, on pourra même placer les bulbes directement sur une couche de gravillons.

Cyclamen coum En plus des jolies fleurs mauves ou blanches de fin d'hiver, ces cyclamens offrent de belles feuilles marbrées. ◑ 0,10 m.

Crocus tommasinianus Il serait dommage de se priver de ces fleurs de début de printemps. 0,10 m.

Crocus de printemps Ces crocus peuvent être cultivés en pleine terre au soleil ou à l'ombre, ou groupés dans des pots. 0,10 m.

Anemone blanda **'White Splendour'** Cette anémone de sous-bois brille de mille feux sous les branches basses d'un cognassier du Japon. 0,10 m.

Narcissus cyclamineus Longue inflorescence en trompette pour cet hybride de début de printemps. 0,15-0,20 m.

Narcissus bulbocodium Lorsque la place manque, les variétés miniatures telles que celle-ci sont précieuses.
○ 0,15-0,20 cm.

Narcissus **'February Gold'** L'un des narcisses miniatures les plus réputés. 0,15-0,20 m.

Narcissus 'Hawera'
Nécessite un sol bien
drainé. 0,45 m.

Hyacinthoides italica
Vue ici en parterre
de printemps. 0,20 m.

Erythronium 'Citronella' Superbes fleurs printanières
de teinte jaune pâle. S'étiole au début de l'été. 0,15 m.

211

***Tulipa* 'Keizerskroon'** Ce coin de jardin a été mis en valeur par la plantation de tulipes et de primevères 'White Shades'. 0,45 m.

Muscari plumosum Les épis floraux printaniers sont d'une belle teinte mauve. 0,25 m.

***Tulipa* 'Maréchal Niel'** Le superbe jaune de ces tulipes est ici retrouvé au cœur de pensées sauvages. 0,45 m.

***Anemone nemorosa* 'Robinsoniana'** Il est difficile de résister à ce cultivar à fleurs lavande d'anémone de sous-bois. Floraison de printemps. 0,15 m

Tulipa **'Black Parrot'** Ces tulipes Perroquet ont été incluses dans un petit jardin clos de haies d'ifs. 0,45 m

Fritillaria imperialis Orange, rouges ou jaunes, les couronnes impériales comptent parmi les plus belles fleurs du printemps. 1 x 0,30 m.

Fritillaria pyrenaica Cette fritillaire constitue un ajout original pour un jardin de printemps. 0,30 m.

Iris sibirica Ces iris se plaisent davantage dans un sol retenant l'humidité. Floraison de début d'été. ◯ 0,60 x 0,60 m.

***Allium aflatunense* 'Purple Sensation'** Ces superbes aux ornementaux sont mieux mis en valeur lorsqu'ils s'élèvent au-dessus d'autres plantations d'été. 1 m.

Nectaroscordum siculum Gracieuses ombelles retombantes. Se plait dans un emplacement ensoleillé ou partiellement ombragé. 1 m.

Gladiolus byzantinus Ce glaïeul à petites fleurs précoces est suffisamment rustique pour être laissé en terre. 0,60 m.

Eremurus bungei Cet *Eremurus* ne passe pas inaperçu au milieu de l'été. ○ 1,5 x 0,60 m.

Lilium martagon var. album Ces lis turban acceptent un emplacement à mi-ombre. 1,5 x 0,30 m.

Allium moly Les belles inflorescences de cet ail ornemental sont agréablement parfumées. 0,25 m.

Lilium regale Le parfum capiteux du lis royal est l'un des délices de l'été. Ce lis convient très bien pour une culture en pot. 1,20 x 0,30 m.

***Lilium* 'King Pete'** L'un des nombreux hybrides asiatiques à floraison estivale. 1 x 0,30 m.

Agapanthus, **hybrides Headbourne** Les agapanthes peuvent être cultivées en plein sol ou en pot pour une floraison de fin d'été. ◗ 0,60 x 0,45 m.

Eucomis bicolor Ce bulbe produit d'étranges inflorescences vertes en été. ◗ 0,45 x 0,60 m.

Crocus d'automne Plantés au début de l'automne, ces crocus fleuriront après trois ou quatre semaines. 0,10 m.

Nerine bowdenii Les superbes inflorescences roses sont bien en vue à la fin de l'automne. ◗ 0,45 x 0,20 m.

Crinum powellii Planté dans un sol bien drainé, il donnera de belles fleurs automnales. ○ 1 x 0,60 m.

***Dahlia* 'Gerrie Hoek'** Forts de leur floraison tardive, les dahlias apportent un peu de chaleur aux bordures d'automne. 0,60 x 0,60 m.

Colchicum speciosum Les colchiques requièrent un sol drainant et un emplacement ensoleillé. Floraison d'automne. ○ 0,20 x 0,20 m.

Cyclamen hederifolium De façon étrange, les fleurs automnales apparaissent avant les feuilles. 0,10 x 0,20 m.

Plantes d'eau, fleurs et feuillages à profusion

Dans un jardin de dimensions modestes, un plan d'eau semblera toujours quelque peu incongru s'il n'est pas partiellement couvert ou étroitement bordé de feuilles et de fleurs. En complément des plantes aquatiques généralement utilisées telles que les nénuphars, les plantes de rives contribuent au charme d'un jardin d'eau de deux manières différentes : elles restituent l'aspect des berges et des rives en milieu naturel, territoires ordinairement fertiles et humides, et elles jouent un rôle purement fonctionnel en aidant à masquer les éléments et équipements nécessaires pour la construction d'un réseau aquatique artificiel.

Primula sieboldii Apprécie un sol humide et un emplacement de mi-ombre. Floraison au début de l'été. 0,20 x 0,30 m.

Primula florindae Cette primevère apporte de riches couleurs durant plusieurs semaines en été. ◐ 0,75 x 0,75 m.

Primula pulverulenta Les primevères candélabre produisent de superbes inflorescences au début de l'été. 1 x 0,45 m.

***Primula japonica* 'Postford White'** Fleurit au début de l'été dans un emplacement de mi-ombre. 0,45 x 0,45 m.

Primula vialii Les bourgeons écarlates se transforment en épis floraux rose pâle à la fin du printemps. Apprécie un sol riche et humide. 0,30 x 0,30 m.

Astilbe × arendsii '**Erica**' Les astilbes sont appréciées pour leurs feuilles joliment découpées et leurs inflorescences plumeuses. 1 x 1 m.

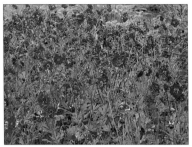

Geum '**Red Wings**' Un superbe cultivar de benoîte. Les fleurs apparaissent en été. ☾ 0,30 x 0,30 m.

Astilbe × arendsii '**Granat**' Les inflorescences de teinte rouille se marient agréablement avec des tons pastel. 1 x 1 m.

Geum rivale '**Album**' Cette benoîte à fleurs blanches est à la fois simple et élégante. 0,60 x 0,60 m.

***Lobelia* 'Dark Crusader'** Cette superbe vivace aux fleurs richement colorées mérite un emplacement de choix. La floraison intervient à la fin de l'été. 1 x 0,30 m.

Mimulus Fleurit en été mais requiert un sol humide tout au long de l'année. 0,30 x 0,30 m.

Camassia leichtlinii Cette vivace gourmande en eau donne de belles fleurs violettes au début de l'été. 0,75 x 0,30 m.

Arisaema candidissimum Une plante exotique qui fleurit au début de l'été, avant la pleine maturation des feuilles. 0,30 x 0,30 m.

Dodecatheon meadia Idéale pour un emplacement humide. Floraison de printemps. 0,45 x 0,30 m.

Schizostylis coccinea Cette vivace rhizomateuse apporte de la brillance à la fin de l'été et en automne. 0,60 x 0,30 m.

***Filipendula rubra* 'Venusta'** La haute tige de cet hybride porte de volumineuses inflorescences roses au milieu de l'été. 2 x 1,20 m.

***Chaerophyllum hirsutum* 'Roseum'** Similaire d'aspect au cerfeuil sauvage. Fleurit à la fin du printemps. 0,60 x 0,60 m.

Cardamine pratensis Cette vivace produit des fleurs mauve pâle au début du printemps. 0,25 x 0,10 m.

Caltha palustris Ce souci d'eau, utilisé en plante de rive ou en parterre, fleurit au printemps. ○ 0,30 x 0,45 m.

Lysichiton americanus Superbes au bord d'un petit plan d'eau au printemps. 1 x 0,75 m.

Trollius europaeus Les fleurs d'un beau jaune citron sont produites au printemps. 0,60 x 0,60 m.

Iris **'Holden Clough'** Au début de l'été les sépales retombants de cet iris sont superbement marqués. 0,75 x 0,75 m.

Iris sibirica **'Soft Blue'** Ces iris comptent parmi les plantes de rives les plus attrayantes au début de l'été. 1 x 0,60 m.

Trillium grandiflorum **'Roseum'** Un sol riche, un emplacement ensoleillé et de la patience sont requis pour la culture de ces fleurs de printemps. ● 0,40 x 0,30 m.

Iris missouriensis De façon évidente, une telle concentration de ces iris à floraison de début d'été est impossible dans un petit jardin, mais l'important est de les utiliser à bon escient. 0,60 x 0,60 m.

***Houttuynia cordata* 'Chameleon'** Cette vivace multicolore utilisée en couvre-sol tend souvent à s'étendre plus qu'il n'est souhaitable. Cela dit, elle est relativement facile à contrôler. ○ 0,10 m.

Matteuccia struthiopteris Particulièrement agréable à l'œil au printemps avec la pousse des nouvelles frondes. 1 x 0,60 m.

Rodgersia sambucifolia Cette plante à grandes feuilles occupe un espace non négligeable, mais elle peut aider à structurer une plantation. 1 x 1 m.

Hosta sieboldiana Les feuilles pruinées
donnent de l'intérêt à la plante jusqu'à
l'éclosion des fleurs de printemps.
◐ 0,75 x 0,75 m.

Onoclea sensibilis Cette fougère aux
frondes délicates fait une plante de rive
idéale pour un plan d'eau miniature.
0,45 x 0,60 m.

À l'image du splendide 'Halcyon',
les hostas sont utiles dans un jardin
d'eau pour structurer un ensemble
de plantes aux formes indistinctes.
Ils sont également excellents en
couvre-sol.

Aponogeton distachyos L'inclusion
de cette plante aquatique aide à
l'oxygénation de l'eau. Supporte une
hauteur d'eau maximale de 0,45 m.

Myriophyllum aquaticum Ce myriophylle
croît sous la surface et contribue à la
limpidité de l'eau.

Orontium aquaticum Cette autre plante aquatique se distingue par de superbes
inflorescences digitiformes terminées de jaune vif. Supporte une hauteur d'eau
maximale de 0,30 m.

Nymphaea **'James Brydon'** Diviser ce nénuphar tous les deux ou trois ans au printemps. Hauteur d'eau conseillée : 0,25 à 0,45 m.

Nymphaea **'Laydekeri Fulgens'** Les nénuphars fleurissent du début de l'été aux premières gelées. Hauteur d'eau conseillée : à partir de 0,25 m.

Nymphaea **'Marliacea Albida'** Comme tous les nénuphars, il préfère une eau calme et un emplacement ensoleillé. Hauteur d'eau conseillée : 0,45 m.

Nymphaea **'Marliacea Chromatella'** Les fleurs sont d'un joli jaune crème. Hauteur d'eau conseillée : 0,45 m.

Garnissez pots et contenants en fonction des
saisons ! *Iris reticulata*, bulbe à floraison
précoce, apportera couleurs et gaieté
dès la fin de l'hiver.

À travers les saisons

Lors de l'aménagement d'un jardin, il faut s'attacher à ce qu'il demeure intéressant tout au long de l'année. Cet objectif, difficile à atteindre mais parfaitement réalisable, requiert une bonne connaissance des plantes et des méthodes de culture, un goût très sûr et un souci du détail presque obsessionnel. Patience, imagination et bon sens sont également nécessaires, mais les résultats obtenus remboursent au centuple les efforts consentis.

Certaines plantes jouent, à cet égard, un rôle essentiel. Ce sont celles qui contribuent à la beauté du jardin à plus d'un titre : par leurs fleurs et leurs fruits, par leur forme et leur riche feuillage automnal, ou encore par leurs feuilles persistantes et leur superbe écorce hivernale. Parfois l'intérêt du jardin réside dans une gelée blanche sur un conifère, ou bien dans les floraisons répétées d'une vivace. Dans un petit espace, l'important est de bien considérer les avantages et inconvénients des plantes que l'on songe utiliser.

Erica carnea **'Myretoun Ruby'**
Les petites fleurs roses sont présentes en hiver et au début du printemps. P, 0,30 x 0,45 m.

Bergenia purpurascens Les feuilles élégantes sont vues ici dans leur livrée hivernale. Avec les beaux jours, elles reprendront une belle couleur verte. P, 0,30 x 0,45 m.

233

Hedera helix **'Cristata'** Les jolies feuilles justifient l'inclusion de ce cultivar de lierre. P, 2,70 m.

Hedera helix **'Buttercup'** Cette couleur originale est précieuse dans le jardin hivernal. P, 2,70 m.

Hedera helix **'Glacier'** Ce lierre fait un excellent couvre-sol de mi-ombre. P, 2,70 m.

Hedera helix **'Goldheart'** Richement coloré en toutes saisons. P, 2,70 m.

Ilex aquifolium **'Ferox Argentea'** Les houx à feuilles persistantes font d'excellentes plantes d'arrière-plan. P, 2,40 m.

Acer shirasawanum aureum Cet érable du Japon à feuilles dorées est le plus épanoui du printemps à l'automne. ◑ 3 x 2,40 m.

Aucuba japonica **'Gold Dust'** Produit des petites baies rouges de l'automne jusqu'au début du printemps. P, 2,40 x 2,40 m.

Artemisia **'Powis Castle'** Parfait pour rehausser des tons roses, bleus ou mauves. ❍ P, 1 x 1,20 m.

Euonymus fortunei **'Silver Queen'** Ce bel arbuste tolère un peu d'ombre. P, 1 x 1,50 m.

Hebe pinguifolia **'Pagei'** Les feuilles gris-vert demeurent attrayantes tout au long de l'année. P, 0,30 x 1 m.

Helictotrichon sempervirens Les fines feuilles gris-bleu font l'intérêt de cette plante. Tailler au ras du sol au printemps. ❍ 1,20 x 0,30 m.

Festuca ovina Les graminées contribuent toute l'année à l'intérêt du jardin. ❍ 0,25 x 0,30 m.

Stachys byzantina Les feuilles duveteuses de cet épiaire forment un dense tapis durant la plus grande partie de l'année. ❍ P, 0,45 x 0,30 m.

Ballota pseudodictamnus Préfère un sol bien drainé et un emplacement ensoleillé. ❍ P, 0,30 x 0,45 m.

Abelia schumanii Les fleurs roses et mauves apparaissent en été et au début de l'automne. Semi-P, 1,50 x 1,50 m.

Indigofera heterantha La floraison s'étend du milieu de l'été à l'automne. ⭕ 2 x 2 m.

***Euphorbia dulcis* 'Chameleon'** Les feuilles teintées de mauve deviennent rouge orangé en automne. 0,40 x 0,40 m.

***Allium schoenoprasum* 'Forescate'** Les petites fleurs roses en font une plante de bordure attrayante. 0,30 x 0,30 m.

Clematis **'Dr. Ruppel'** Fleurit durant tout l'été. La hauteur dépend du sol et de l'emplacement.

Rosa **'Cornelia'** Idéal pour une bordure mixte, ce rosier hybride fleurit tout l'été. ○ 1,20 x 1,20 m.

Lavatera **'Barnsley'** Profusion de belles fleurs roses et blanches durant plusieurs semaines d'été. ○ 2 x 1 m.

***Escallonia* 'Iveyi'** Les inflorescences blanches de fin d'été sont facilement mariées à des fleurs de clématite. P, 4 x 3 m.

Hydrangea quercifolia Les panicules blanches de milieu d'été prennent une couleur rose à l'automne. 2 x 2,40 m.

Leucothöe fontanesiana Les racèmes de petites fleurs blanches se forment au début du printemps P, 1,50 x 3 m.

***Epimedium* × *youngianum* 'Niveum'** Les feuilles délicatement formées se développent après l'éclosion des fleurs de printemps. 0,25 x 0,30 m.

Pittosporum tenuifolium Cet arbuste à feuilles persistantes est très apprécié des paysagistes pour ses qualités ornementales. Requiert un emplacement ensoleillé à l'abri des vents froids. P, 5 x 4 m.

Clematis armandii Très agréable au début du printemps à cause de ses fleurs richement parfumées. ◯ P, la hauteur dépend du sol et de l'emplacement.

Eryngium tripartitum Belles fleurs bleu acier au milieu de l'été. ◯ 0,45 x 0,25 m.

***Helleborus foetidus* 'Wester Flisk'** Les feuilles sont vert-gris. Les inflorescences de fin d'hiver sont portées par d'épaisses tiges teintées de rouge.◗ P, 0,45 x 0,45 m.

***Rosa* 'Graham Thomas'** Ce rosier anglais de création récente fleurit en été et en automne. ○ 1,50 x 1 m.

***Erysimum* 'Bowles' Mauve'** Une vivace qui fleurit pratiquement tous les mois de l'année. 0,60 x 0,60 m.

Pulsatilla vulgaris Cette petite vivace, également à fleurs blanches ou rouge sang, apparaît au printemps. 0,30 x 0,30 m.

***Salvia officinalis* 'Purpurascens'** Le superbe feuillage met en valeur les plantes voisines toute l'année. ◗ P, 0,60 x 1 m.

***Clematis* 'Lord Nevill'** Belles fleurs mauves au début de l'été et en automne. La hauteur dépend du sol et de l'emplacement.

Viola labradorica Le feuillage vert sombre est presque persistant. Les petites fleurs roses et mauves apparaissent au printemps et en été. 0,10 x 0,30 m.

Viburnum davidii Cet arbuste au port étalé et à croissance lente se plaira dans les recoins les plus inattendus. P, 0,90 x 1,50 m.

***Viburnum tinus* 'Eve Price'** Facile à cultiver. Fleurit de l'automne au début du printemps. P, 2,40 x 2,40 m.

Cotoneaster horizontalis À maturité, cet arbuste développe une intéressante structure. En automne, les petites baies écarlates se mêlent aux feuilles richement colorées. 1,50 x 1,50 m.

La simplicité de cette composition - un houx
panaché cerné de buis taillés en boule - n'a
d'égale que son charme et son élégance.

Index

Aquilegia, hybride

Dicentra 'Langtrees'

Arbre taillé en spirale (*Laurus nobilis*) dans un champ de lavande.

Pivoines, achillées jaunes et *Nepeta* mauves.

Remerciements

Un grand nombre des photographies de cet ouvrage ont été prises dans le jardin de l'auteur : Arrow Cottage, Ledgemoor, Weobley, Herefordshire. Les éditeurs souhaitent également remercier ici les nombreuses personnes et organisations ayant autorisé l'utilisation de photographies prises sur leur propriété pour cet ouvrage, en particulier :

M. et Mme Terence Aggett ; Pelham Aldrich-Blake, Bristol (pages 96-103, conçu par Julian Dowle de Julian Dowle Partnership, The Old Malt House, High Street, Newent, Gloucestershire GL18 1AY) ; Anthony et Fenja Anderson ; Aspects Garden Design ; M. et Mme A. Bambridge, Llanvair Kilgeddin, Abergavenny ; Barnsley House, Barnsley, Cirencester ; Prue Bellak (pages 74-77) ; Lindsay Bousfield, Acton Beauchamp Roses, Worcester ; Bromesberrow Place Nurseries, Ledbury ; Burford House, Tenbury Wells ; David et Mary Butler ; Chilcombe House, Chilcombe ; Mme B. Cope ; Dr Lallie Cox, Woodpeckers, Marlcliff, Bidford-on-Avon ; Croft Castle (National Trust) ; Kim Davies, Lingen ; Dinmore Manor, Hereford ; Richard Edwards, Well Cottage, Blakemere ; M. et Mme J. Hepworth, Elton Hall, Wigmore ; Jacquie Gordon, Garden Design, 'Rattys', Glebe Road, Newent, Gloucestershire GL18 1BJ (pages 78-81) ; M. et Mme R. Humphries ; Kim Hurst, The Cottage Herbery, Boraston, Tenbury Wells ; M. et Mme J. James ; Kiftsgate Court, près de Chipping Camden ; M. et Mme D. Lewis, Ash Farm, Much Birch ; Mirabel Osler (pages 62-67) ; The Picton Garden, Colwall ; Mme Richard Paice, Bourton House ; Anthony Poulton et Brian Stenlake, 21 Swinton Lane, Worcester (pages 82-87) ; M. et Mme D. Pritchard, Newbury (pages 116-119) ; RHS Garden, Wisley ; M. et Mme Charles Reading, Hereford (pages 68-73) ; Mme Clive Richards, Lower Hope, Ullingswick ; Tony et Caroline Ridler, 7 Saint Peter's Terrace, Cockett, Swansea SA2 0FW (pages 108-115) ; Mary Ann Robinson ; Paul et Betty Smith, The Old Chapel, Ludlow (pages 88-91) ; Malley Terry ; Raymond Treasure, Stockton Bury Farm, Kimbolton ; M. et Mme P. Trevor-Jones, Preen Manor, Shropshire ; Carole et Shelby Tucker ; Wakehurst Place (National Trust) ; Richard Walker ; M. et Mme D. Williams-Thomas, The Manor House, Birlingham.

Le pavillon figurant dans le jardin de Mirabel Osler, à la page 67, a été conçu et réalisé par Richard Craven, Stoke St Milborough, Shropshire SY8 2EJ.

La photographie du jardin primé à Chelsea en 1997 (conçu par Jacquie Gordon et Julian Dowle, The Julian Dowle Partnership) a été prise par Derek Harris (pages 12-13).